錄

2013 年 12 月

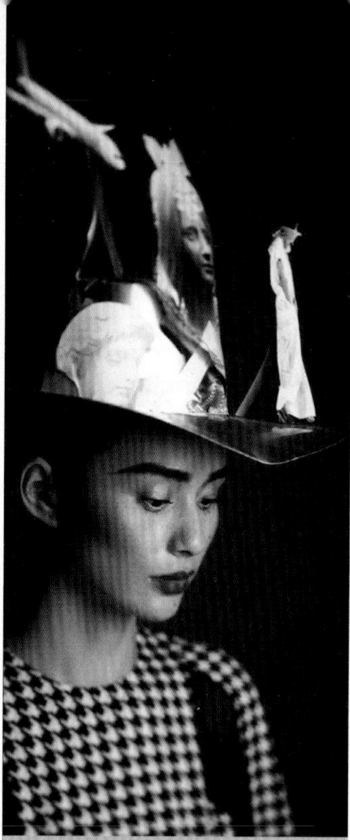

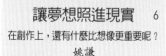

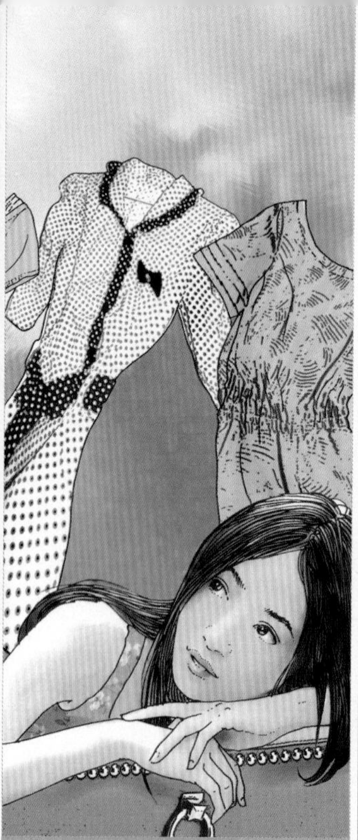

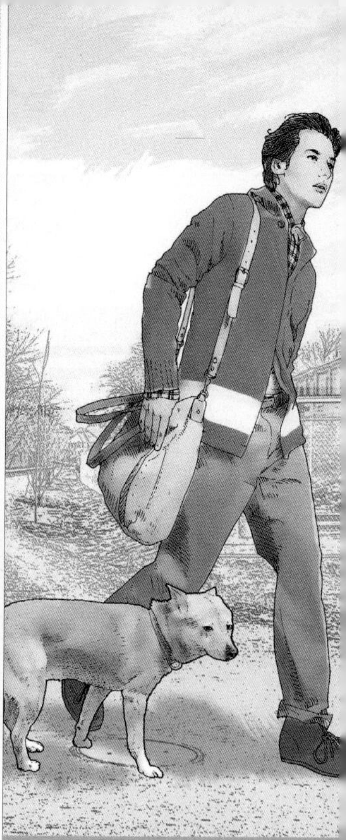

目

718期／

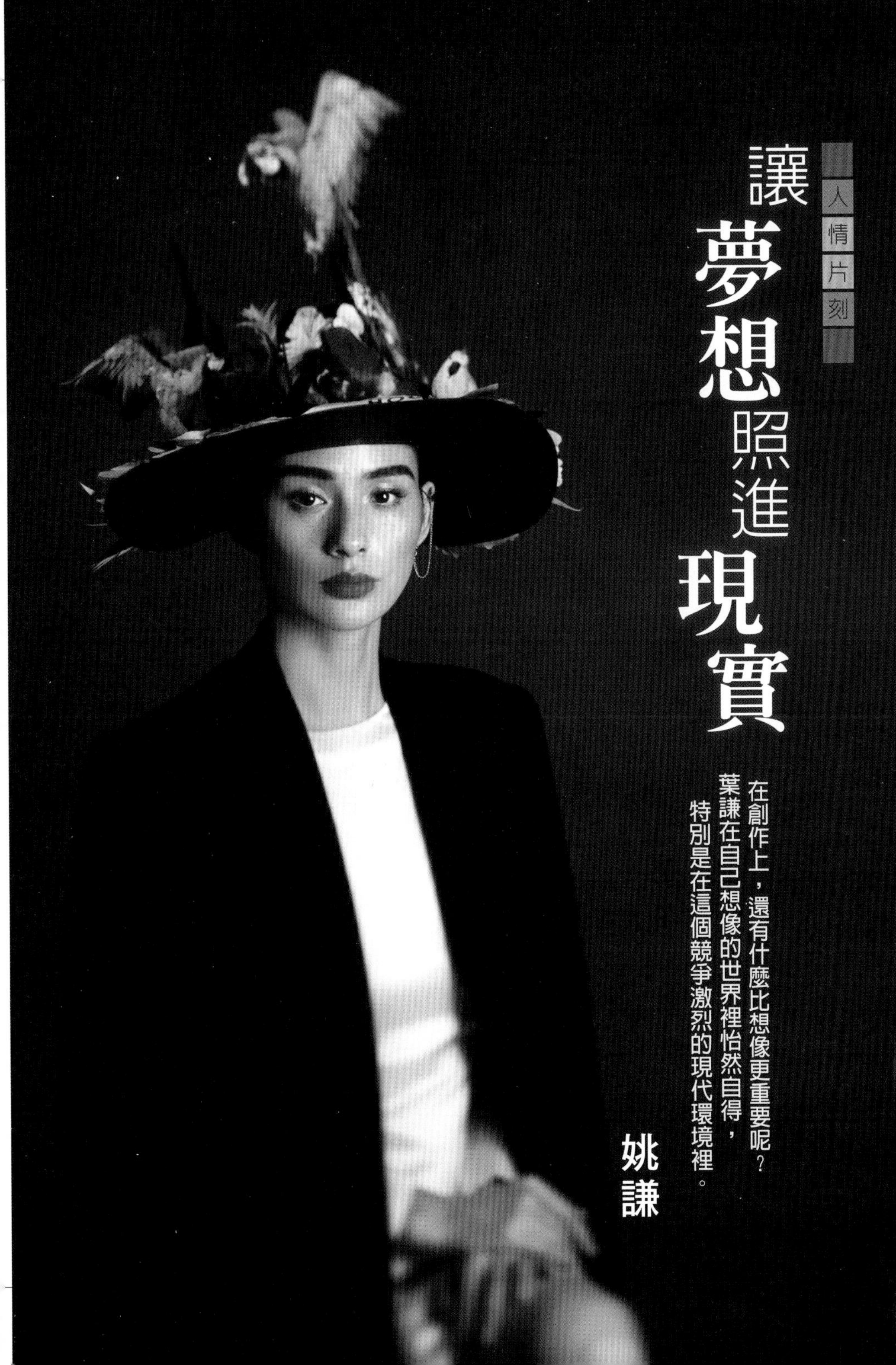

人情片刻

讓夢想照進現實

在創作上，還有什麼比想像更重要呢？
葉謙在自己想像的世界裡怡然自得，
特別是在這個競爭激烈的現代環境裡。

姚謙

對我來說，挑選一件衣服有時候跟挑選一件藝術品，有著相近的考慮過程。

很多人覺得男人在挑選服裝上花費那麼多的心思，好像有點不應該。但是「挑」衣服與「穿」衣服是兩件事。選擇一件衣服的過程與穿它在身上是兩個不同的思維過程；選擇一件衣服就如同決定一件藝術品進入自己的家，而是否穿上它與何時穿它，就如同你把你收藏的藝術品放在生活的哪個地方，那又是另外一套邏輯了。

我常覺得服裝是穿在肉身外的內在，也許你不刻意的去著墨，但是它總是不經意或者刻意的表達出了你內心的思想與企圖。自從我經濟能力比較充裕之後，可能在挑衣服、選購一件衣服上面，有了更多的想像與期待。這也讓我在這麼多年來一直很忠誠的選購川久保玲女士的作品，並且經常穿上身，二十多年來幾乎快要變成習慣了。但是我知道選擇衣服千萬不能成爲習慣，因爲衣服跟藝術品是相似的，它要跟時代相關、它呼應著你活著的當下，同時也對照了你與這個時代的關係……好像說複雜了，但我是眞的這麼想的。

葉謙，是我兩年前認識的一位朋友，但也不能說是認識，只是單方面的知道這個人。因爲當時我參加內地一個選秀節目，我負責音樂選擇的工作，其中一位選手兩度在演出時穿上了朋友葉謙的設計

作品，並且深深的吸引了我。當時我想：那個與我同名的人，是一個什麼樣的人啊？居然能夠想出這樣自由想像的服裝啊！

印象最深刻的一件，是憑藉他對童年看過的港片《92黑玫瑰與黑玫瑰》的回憶所創作的，電影是荒謬手法重塑黑白片時期粵語電影裡的經典人物——女俠黑玫瑰，一個行走於都市間的女俠。粵劇時代的風情看在一位「八十後」人的眼裡，居然連結成了當代動漫的世界，誇張不眞實的鮮豔色彩卻精采的重現，另成一道極未來感的風景。這脫離潮流拘束另走其路的創意，與我相信的「服裝是語言外的另外一種語言」彼此印證。

認識了葉謙以後更是這麼覺得，表面上他不善言辭，不過時機到了他總能在恰當的時候，會冒出準確的話語表達出意思；這就如同他「偶爾」發表的創作一樣，總恰如其分不張揚也不迴避，清晰而準確。說到「偶爾」出現的創作，這也是從事服裝設計這個行業的年輕人所面臨最大的困難，創作隨時發生，但是落實卻是需要等待支援，畢竟時裝產業是一個很複雜、絢爛、短暫又令人難以拒絕的產業，而且最終的決定權常常落在資金支持與否。之前的葉謙也是等待有賞識他的人給予支持，才會有微量創作作品發表出來，其餘的時間他不停地學習、奔走於一些

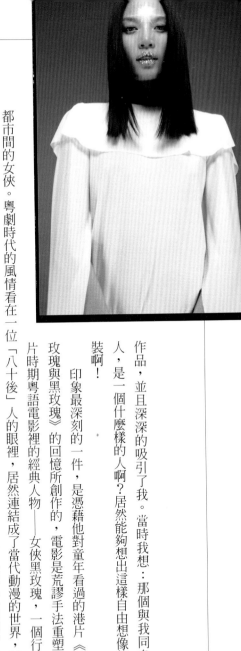

工作，或者做一些相關產業上的服務，因此許多文化圈的藝人因爲穿上了他的作品都驚歎不已，並且結交成朋友。

就我的觀察，葉謙作品給人驚喜，並非他用了時裝產業最愛用的標新立異創作法，結果大家爲了迎合群眾最終卻所見略同。他的作品與時尚間所互相感染的潮流相背，最大的差異點就是他完全不理會時尚業爲了商業所要運作的風潮，並且遠遠地自行一格、不與人較量的在自己創作天地裡，架構一個完整又豐富的世界，那是來自八十年代後年輕人的邏輯與審美觀，一個迥然於別人習慣的想像世界。在創作上，還有什麼比想像更重要呢？葉謙一直在自己想像的世界裡怡然自得，特別是在這個競爭激烈的現代環境裡。

他來自福建泉州，老家是靠海崇武，頗具特色的惠安女故鄉。在他早期的創作作品裡，就有了很多來自他生長過程，從信仰上獲得靈感，並將抽象的靈感理念具象化到時裝設計中。如他的《少女媽祖林默娘》系列，實際上就是他以自己的偶像——媽祖林默娘爲創作靈感繆斯，又如他的另一個系列《商女》，描繪的是小時候在沿海地區見到的各色各樣勤勞惠安女商人。這種不理會西

方潮流且「言之有物」的時裝，反而引起了巴黎時裝圈的注意。

他這一點特性倒與我最喜歡的設計師川久保玲是相近的。川久保玲一直對於世界有著不同的想法，她以解構重整來包裝內心的不滿與憤怒，而她的文學素養與哲學思考更把她的創作都詩意了、隱約了、美化了。而葉謙在他的作品裡呈現了相近的氣質，他在他的生活中尋找靈感、在他的閱讀中尋找謬思，所有的作品都與當下葉謙的想像息息相關。

長久以來許多年輕的服裝設計師在時裝界這擁擠的平臺上，可能憑著年輕的才華與新鮮感而絢爛一時，不久又被貪婪的官僚與媒體消費得消滅了光輝，並且迷失了自己，特別是在華人的設計圈更是如此。台灣的時裝設計一直沒有穩定的平臺、有效的系統，和有遠見的支持人，太多的贊助都是爲了

消化預算所設計出來的項目，或是幫助眼前快速回收商業或政治目的，我就親眼看見一個初露才華的年輕人是如何被消費成庸材的過程。

幸好葉謙在性格上抗得住堅持所要面對的壓力，在最初的電視設計選秀裡並未刻意地隨波逐流，縱然沒有拿到冠軍，仍得到了法國ESMOD學院青睞，校長欣賞其作品，贈予兩年北京分校全包獎學金，召入北京分校裡學習。那段時間是葉謙很重要的時期，他開始朝文化人以及更多的資訊吸收，也奠定了他今日可以以全職的服裝設計師的角色，發表他第一季的服裝設計作品，以一個正式的品牌面向群眾。當我看到他發表時，心中充滿了喜悅，這一位在思想上細膩與獨立的小夥子，終於正式的面向群眾了！轉換喜悅後，我決定「以身相許」的穿上他的作品，在許多公眾場合出現，果然得到許多朋友的好奇以及詢問。

我知道未來的路依然辛苦，葉謙將面對更多外面以及自己的挑戰，眼前許多的讚美湧來，他的內心需要的是更清晰的思考以及更明確的未來計畫。當然如果能夠得到認同他創作理念、支持他在創作上繼續不與潮流妥協的贊助與支持仍是最重要的，欣賞者也應該陪同他一起努力，讓夢想繼續照進現實！

（圖片提供◎葉謙）

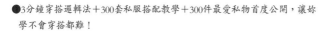

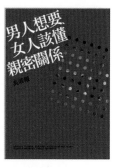

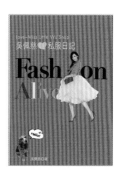

【日本辯論專家】
太田龍樹◎著

10個關鍵句型、15種對應話術，讓別人相信你！

關鍵一句話，說服所有人

爲什麼我的提案很棒，老闆就是不通過？爲什麼費盡唇舌，業績卻無法提升？爲什麼熱誠回應客戶，案子還是談不成？其實，不是你不認眞，而是你還沒學會「關鍵一句話」！眞正的「說服」不是逼人就範，而是洞察對方的性格，掌握其眞正的需求，用對症下藥的「一句話」，獲取對方發自內心的信賴，達成彼此之間的雙贏！「說服力」決定了一個人的工作能力，只要學會本書中的關鍵句型和對應話術，從此你就能在人際關係上無往不利！

●日本AMAZON書店讀者★★★★☆熱烈迴響！

吳迪老師◎著

天王名師吳迪老師18年教出超過5000名台大生，
首度傾囊相授，幫助你順利考上理想的大學！

打造5000名台大生的無敵學習法

上台大不是命中註定，平凡學生也能變榜首！天王名師吳迪老師在本書中首度公開傳授獨一無二的讀書技巧，從塑造完美的讀書環境、掌握「黃金記憶點」、善用筆記快狠準抓到重點，到如何在社團和學業中取得平衡、如何調適心理壓力……30個必勝讀書心法，由內而外全方位提升你的應考實力！書中更收錄申請入學甄試和面試技巧的完整攻略，以及獨家「學習數學的終極之道」，幫助你打通高中數學的任督二脈，讓數學成爲你的決勝武器！

PanSci泛科學網
專欄作者群◎著

台灣最受歡迎的科普網站首度出書！
稀奇古怪的疑問＋妙趣橫生的解答＝絕對不腦殘！

不腦殘科學

爲什麼人有兩個鼻孔？爲什麼我們都愛看八卦新聞？失戀的痛到底有多痛？酒喝太多，都是杯子的錯？母子連心是眞的嗎？爲什麼會有夫妻臉？……一般人往往以爲科學艱深難懂，其實我們日常生活中一些習以爲常的小事，都是科學的體現！本書即從各種不同面向提出99個你從來沒想過、或只知其然但不知其所以然的趣味問題，並從科學的角度加以深入探討。你會發現，只要戴上「泛科學」的眼鏡，你所看到的世界將從此變得完全不一樣了！

殺了所有父母，這樣才能活下去？

非普通家庭

凱文・威爾森◎著

安妮和巴斯的父母自稱「行爲藝術家」，專門在公共場合演出各種衝擊性情節，以觀察群眾的眞實反應。但偶爾一兩次還無傷大雅，時間久了，安妮和巴斯越來越受不了爸媽離經叛道的藝術理念和思維邏輯。他們唯一的心願，就是與那個搞怪家庭徹底切割。多年後，當安妮和巴斯重新回到老家，爸媽卻突然離奇失蹤，只留下車內滿滿的血跡！但安妮和巴斯不禁懷疑：他們的父母眞的死了嗎？還是這一切只是另一個天殺的「行爲藝術」？……

●TIME雜誌年度十大小說！AMAZON書店年度百大小說！

●即將拍成電影，由金獎影后妮可・基嫚主演！

在這反轉迷亂的時空裡，
唯有你，是抓住我的地心引力……

藍寶石 時空戀人・{II}

（中文書封製作中）

克絲汀・吉兒◎著

關德琳才剛接受自己「時空旅人」的身分，就得面臨重重難關的挑戰，還得在一場十八世紀的晚會上，再次與陰險的聖日耳曼伯爵相見。不過更讓關德琳害怕的是，她就快要深深地愛上自己的時空旅人夥伴吉迪恩了！而這個態度反反覆覆的男孩，終於被關德琳眞誠的淚水打動，向她坦承自己的心意。關德琳沉浸在戀愛的喜悅中，沒想到伯爵卻給了她重重的一擊。關德琳那紅寶石般的心就如同幻象所預言的，墜落深不見底的懸崖，碎裂成千萬片血滴……

●德國AMAZON書店暢銷排行榜第一名！讀者4.7顆星好評如潮！

●全系列熱賣突破200萬冊！並已改編拍成電影！

愛，使她無堅不摧，卻也滋長邪惡。
而在時間的盡頭等待她的，將會是……

綠寶石 時空戀人・{III}

（中文書封製作中）

克絲汀・吉兒◎著

關德琳的死黨蕾絲莉解開了外公留下的《綠騎士》之謎，關德琳一邊忙著藏匿秘密，一邊還要與「時空旅人」夥伴吉迪恩，在十八世紀的宴會上引誘出護法圈內的叛徒。雖然任務達成，但關德琳的生命卻也岌岌可危，而她最重要的「魔法」更是呼之欲出。也許唯有吉迪恩對她的愛，能從狂亂的時空中拯救關德琳；但卻也是吉迪恩的愛，才讓這顆紅寶石面臨碎裂的威脅。而更重要的是，關德琳甚至不能確定吉迪恩究竟愛不愛她呢？……

●出版第一週即榮登《明鏡週刊》文學類暢銷書榜首！並已售出20國版權！

越谷治◎著

日本女生最希望男生閱讀的戀愛小說No.1！
改編同名電影，日本首週票房No.1！

向陽處的她【電影書腰版】

「這眞的是當年那個全年級最笨的眞緒嗎？」浩介睜大眼睛看著眼前這位美麗的女強人，不敢相信竟然就是國中時曾經飽受欺凌的同班同學！暌違十年的重逢，彼此之間的情愫也開始急速升溫，沒想到這段戀情卻遭到眞緒的養父母堅決反對！浩介雖然心存顧慮，兩人還是不顧一切地私奔了。新婚生活有如童話般完美，但是不可違抗的命運卻悄悄威脅著這對戀人。原來他們的相遇根本不是巧合，看似單純的眞緒，其實揹負著不能說的祕密……

●松本潤、上野樹里主演！12/6再一次愛上你！
●隨書限量附贈：《向陽處的她》電影早場票價優惠券！

（中文書封製作中）
島田莊司◎著

「占星神探」御手洗潔初登場！
推理之神開創本格新境界的夢幻成名作！

占星術殺人事件【改訂完全版】

四十年前，一起離奇的命案震驚了全國。畫家梅澤平吉在秘室中遭到重擊身亡，同時還發現了一本手記，他計劃將六名不同星座的年輕處女重新組合，作爲畢生藝術的結晶。想不到平吉死後一個月，竟然眞的有六名少女失蹤，肢解的屍體被分埋在全國各地。難道平吉死後復生，完成了這件「創作」？四十年後，不按牌理出牌的占星術師御手洗潔，偶然間獲得一本與案情相關的遺書告白，也讓這樁延宕四十年的懸案出現了一線曙光……

●日本推理作家協會二十世紀十大推理小說！
●探偵小說研究會本格推理BEST 100第3名！

（中文書封製作中）
島田莊司◎著

啓發綾辻行人《殺人館》系列概念的源頭！
推理之神密室推理的極致傑作！

斜屋犯罪【改訂完全版】

佇立於日本的極北之地，有一棟名爲「流冰館」的傾斜建築。歲末之際，館主幸三郎邀請了許多賓客前來參加耶誕派對。然而原本以爲的悠閒假期，沒想到等待他們的卻是一連串密室殺人陷阱。第一夜，死者被人用利刃刺入心臟；第二夜，在重重反鎖的房間中，死者依舊遇襲身亡。而更讓人不寒而慄的是，兇手竟被懷疑是一具臉上漾著詭異笑容的人偶——葛雷姆！離奇的案情，令警方束手無策，只好向「占星神探」御手洗潔求助……

●探偵小說研究會本格推理BEST 100！
●《週刊文春》MYSTERY BEST 100！

明日有明日

親愛的，爲什麼一臉憂愁？

「因爲我擔憂明日……」你說。

啊，明日如何，明日才知道。在明日到來之前，一切都是想像而已。可以確定的是，當你預設了一個讓人擔憂的明日，心念的力量就會在現實中呈現你所想像的，這是所謂吸引力法則。

所以，不要擔憂明日，而是期待明日。也不要因爲擔憂明日，而任由當下白白流逝。

你所想的

想念一個人，於是你夢見了他。夢是心想事成的魔幻舞台。

而人生如夢，當你的心念聚焦在某件事，那件事也就會在你的現實生活中顯現。

所以樂觀的人往往也是幸運的人，因爲他們所思所想都是朝正向而去；但反過來說，悲觀也容易招致不幸。

親愛的，你的心靈力量遠遠超乎你的想像，你創造你的實相。因此，請永遠要相信，你是被神眷顧的，好事隨時可能在下一個瞬間發生。

朵朵◎文 莊瓊花◎攝影

陰天與太好了的北海道鐵路之旅

已經玩過日本許多次的張國立、趙薇夫婦，
這次選擇搭火車來環繞北海道一周。
他們搭過全日本速度最慢的觀光小火車、
即將停駛的荒涼路線，
還搭過有著濃濃度假風的雙層豪華列車。
唯有搭上車，才能真正專注在風景裡，
才能充分享受拌嘴的樂趣，努力走遍珍稀景點，
進擊日本最北端，吃盡北國美食！

趙薇・張國立◎文

上圖：二世古的作家有島武郎紀念館，背景有蝦夷富士之稱的羊蹄山。

◆「陰天」趙領隊的計畫

旅行的方式有很多種，我和張國立最常使用的就是鐵道旅行，不僅在日本，遠的連在東歐也成。搭火車旅行的好處很多，首先就是輕鬆，人在異地不必眼不離地圖才可以好好欣賞風光。

有一次搭台鐵環島遊台灣之後，突然想到其實也可以試試北海道環島一周呢？北海道面積只不過台灣的兩倍多，基本上分爲道北、道央、道南和道東，鐵路都有到達重要城市，再從城市轉搭其他交通工具出遊，不是不可能，應該會很好玩。

於是，旅行的目標確定，一：搭特色火車，吃鐵路便當。二：火車到不了的地方轉搭巴士儘量去到邊陲城市。三：吃遍北海道的海鮮。

安排行程最麻煩的一是查詢火車時刻，還好找到一個網站，只要輸入出發和抵達的地點，就會列出距離、花費時間和票價，還有轉車次數和車站，這個部分是最重要的，一不注意就會忘了要下車轉乘，我就碰過這樣的意外，結果多花了兩個小時耗在車站裡。除此之外，像是SL蒸汽火車或小火車等都是季節或週末限定，前後行程也都要配合，因此，想要一次假期完成環島一圈是可以，但不可能搭到全部的特色列車。

日本消費高是出了名的，尤其是交通費。因爲是長距離多次用到JR PASS，也就是北海道鐵道爲了吸引外國人而推出的優惠票，有的時候用三天的，有的考量不連續使用而買了彈性四天的，這部分在出發前就必須做好計畫。我記得第一次爲了考慮買連續還是買彈性的在櫃台前算半天，計算分別賺多少。售票小姐雖然很有耐心，但是眼神透露出都已經優惠了還在算什麼呢？真的不

沿鄂霍次克海的北濱車站，因為《非誠勿擾》在此取景而大紅，其實它是個無人小車站。

左圖：稚內外海的禮文島，夏天時野花遍開，不過最棒的是花魚，放在火上烤，鮮嫩無比。右圖：終於吃到鮭魚中的極品鮭兒，據說一萬條中才有一條這種較小卻更美味的，平平是鮭魚，味道和價格完全不同。

必計較太多，只要一天搭上超過三個小時的特急列車就一定划算，最重要的是方便。

至於住宿，爲了搭車方便，大城市就住在站前，到了鄉下有民宿就住民宿，省錢爲第一考量。這部分就見仁見智了，我喜歡住民宿，但還是因爲考量交通方便，這次不得不選擇靠近車站（甚至巴士站）的附近，少了選擇性。而原本很排斥大車站的站前商業旅館，還好選到的都不錯：有的附大浴場，平衡了不能住高級溫泉旅館的遺憾。有的剛裝修完成，房間很新很乾淨，服務人員很親切，都留下了好印象。

於是，在分爲三次的鐵道旅行中，我和張國立去了南部日高山脈底端的襟裳岬，最東端根室半島的納沙布岬，最北城市稚內的宗谷岬，西邊呢，很可惜，雖然江差沒去成，倒是去了日本海沿岸的增毛。

自助旅行是非常自我的，如果要互相將就會顯得沒有個性。這次由我主導路線，從哪裡出發到哪裡結束，在哪裡住宿吃什麼便當都由我規劃。張國立計較他算什麼？我想起在台灣環島時，每到有坡或是樓梯時，小姪女總是喊：「喂，

副隊長，幫忙一下。」張國立總是很無奈的說：「我今天不是輪到副隊長嗎？爲什麼搬行李又歸我了？」很好，就命他當行李員吧！我呢，就是旅行中的便當負責人。

負責買便當也不是一件簡單的工作。別說全日本了，單是北海道的便當就有上百種，每個地方有自己的特產，於是有的便當就是車站限定（又來了），而且爲了好好記錄，要分配好不能重複，雖然出發前也做了調查，哪個車站哪條路線哪個必吃，到了當地卻又另一回事，有的賣完了，有的是出發太早還沒開始賣，而我的個性又貪心，每種都想吃，下不了決心，好幾次多買了只好留到隔日。

就這樣，十二條主要鐵道，不包括地方路線，不包括重複搭乘的就超過三千公里，還有不只二十個鐵路便當，再加上各地風光，人情、美食、文化歷史體驗，成爲我對北海道滿滿的回憶。

還記得最後一次結束行程前我跟張國立說：不要再玩日本了，下次一定要去歐洲。可是，當把記憶化爲文字的此時，我的心又回到那一片土地上，在那時曾狂妄的說：「No more Kani, No more Uni, No more Sashimi」（意思是吃夠螃蟹、吃夠海膽、吃夠生魚片了。還押韻呢！）而現在，北海道豐富如珠寶盒的海鮮便當卻一再一再的躍出記憶，新鮮而幸福的滋味。

我很想說：請，再，給，我，一碗滿滿的海鮮丼吧！

◆「太好了」張行李員多聽話

旅行時有人排好行程、買好便當、訂好旅館、查好餐廳，其實很不錯，只要必要時把兩扇耳朵與一張嘴關起來，也還能和平過日子。不過依然有問題，領隊的計畫不容一絲

一毫改變，只要稍有變化，不得了，明明晴空萬里，一下子烏雲密布。

在稚內火車站曾遇到一家台灣人，顯然由女主人負責一切，但見她忙著問時刻問月台，再問旅客服務中心怎麼搭巴士、怎麼去宗谷岬。那是二月的冰冷季節，那位老公站在站內一角笑咪咪看著計畫在複雜的過程中悲壯地進行，而小學生模樣的兒子則到處張望。

是的，一個家裡只能有一個領隊，其他成員若太多意見，除了討人厭並製造旅途糾紛外，別無其他好處。

那天台灣來的兩個領隊聊起天，兩位行李員則各據一角，遙遙以會心的微笑表達彼此的諒解。

我剛通過外語領隊的考試，在上課期間得到一個啓示，領隊必須有晴天的個性，遇事絕對用樂觀的態度去解決，若是個性有點陰天，團員——尤其是行李員——就得發揮「太好了」的本領，才能逢凶化吉，普天同慶。

舉例來說，某天在洞爺湖畔誤了巴士，接下來趕不上火車，就不能即時抵達室蘭，也許著名的地球岬因而颳起狂風暴雨，當地所有旅館拒絕營業，然後觀光客便飢寒交迫流落於天涯海角。下班巴士要兩個小時之後，恰好往相反方向的巴士來了，這時張行李員覺得有巴士就該上，拉著領隊登上車後，因計畫生變而迷失的趙領隊仔細研究巴士路線圖，她陰沉著臉說，中間有一點叫做「伊達紋別駅」，看起來像是火車站，何不在那站下車換火車？

張行李員連巴士圖也不用看，直覺反應地回答，太好了。

這樣你們瞭吧。

再如住進稚內宗谷岬的小民宿，但聽得整夜海風颼颼叫，吹得窗戶吭吭響，這時張

上圖：苫小牧車站的北寄貝便當，一路吃駅弁，吃不完還能當消夜。
下圖：札幌中央　賣市場內吃到的中飯，左邊是七百五十日元的亂壽司，張行李員覺得既便宜又好吃，不禁喊「太好了」。右邊是趙領隊三千日元的海鮮飯。

行李員忽然被趙領隊推醒說，外面好像有人。

深更半夜不管小偷或惡鬼發神經病才會想在零下十一度的溫度裡出門謀財害命，於是張行李員翻了個身說，太好了。

張行李員的意思是，荒郊海濱竟有鄰居，不是很好嘛。不過隨即趙領隊又說，好像是一頭鹿。張行李員再翻個身說，太好了。

到了接近俄羅斯北方四國的根室半島，坐著幾乎無人的巴士穿過凍原抵達那沙布岬，才下車站在站牌前便幾乎有凍成冰棒的感覺，而巴士走了，眼前是一片白雪，這時趙

上圖：網走的監獄博物館，日本逃獄大王五寸釘寅吉到了這裡就不再逃了，因為逃出去也冰天雪地，犯不著跟自己過不去。

下圖：在朋友久米先生家吃到豪華的生魚片，他經營水產，所以絕對正港新鮮。

領隊說，我們好像應該往海邊走。張行李員什麼也沒說，提起腳就走。半小時後被海風吹得臉上發痛，而所有餐廳小店都沒開門，想喝碗紅豆湯都不可能，這時陰天個性的趙領隊說，怎麼辦，沒有紅豆湯喝？這時張行李員——對了，張行李員照樣說，太好了。

挨罵，在鄂霍次克海颳人的海風之中，趙領隊的罵聲比風聲更烈更韌靭，她說：

「回去的巴士還要等半個多小時，好什麼好！」

這時張行李員怎麼辦——對了，再說，太好了。

趙領隊爲什麼「陰天」？這麼說，無論到哪個有賣「駅弁」的車站，她都急著買便當，但剛吃過中飯，吃不下便當怎麼辦？說也奇怪，便當突然神秘消失。到了晚上有民宿或餐廳可吃，半夜沒有吃消夜的習慣，「駅弁」莫非偷偷快遞回台北了？到第二天中午在另一趟火車旅程中，趙領隊忽然再掏出原該消失的過夜便當問：要不要吃便當？北寄貝的和鮭魚親子飯的，你要哪個？

老天，一路上幾乎都吃隔夜便當，有必要這樣「存」鐵道便當嗎？

對，你們都是聰明人，無論什麼時候出現幾天前幾個月前幾年前的便當，我們都乖巧懂事又可愛地說，太好了。

如此配合領隊的行李員也有挨罵的時候，例如趙領隊經常如老鷹看蟑螂、太陽看手電筒、西北風看扇子、雷公看豆腐般兩眼炯炯有神盯著張行李員無知無辜甚至有點無奈的無可不可臉孔說：

「什麼都太好了，你能不能有點個性有點主見？帶你出來不如帶切菜板。」

這時又該怎麼處理？對，我們行李員都毫不遲疑地說：

「太好了。」

（摘自皇冠文化出版有限公司《火車慢跑！19種你沒看過的北海道》）

關掉你的臉書，開啓我的未來

Lisey◎文

早已數不清是今天第幾回，上一秒才關掉你的臉書視窗，下一秒卻又忍不住再度開啓，瀏覽你的臉書頁面。

我點開所有出現在你臉書塗鴉牆的資訊。地標打卡告訴我你今天去了哪裡；標籤人名告訴我你和誰在一起；照片告訴我你看到的風景；即時動態告訴我你的想法與情緒……即使分手了，我依然在以另一種方式參與你的生活。

朋友奉勸我將你的臉書帳號從好友名單中移除，但是我怎麼捨得呢？畢竟刪除你的帳號，就有如將你從我的人生裡刪除一樣。

於是，數不清的晝與夜，我無法自拔的深陷在如此矛盾又可悲的情緒裡。

突然有一天，意識到自己是獨自被過去禁錮著，你早已展開你那沒有我的未來，於是我驚覺，是時候該做些改變。

即使極爲痛苦又艱難無比，我仍強迫自己停止瀏覽你的臉書頁面。我不再窺探你在臉書上的生活、不再追查你在臉書上與異性的互動、也不再點擊你的舊動態，回憶那些我們的過去。

痛苦的過渡期逐漸過去，我不再聽聞與你有關的消息就心痛，也不再因半夜突然想起你而哭泣。同時，我剪斷了你最愛的長直髮，頂著夢寐以求的清爽短髮，在豔陽下，我走向明天。

我關掉你的臉書，也關掉我們的過去，同時開啓屬於我自己的未來。我相信，即使在沒有你的日子裡，我的天空也必定同樣絢麗。

～藝術之美～

梁君午，以樸「素」之線，「描」繪出無限的可能

我喜歡在畫布上「留白」，我的「留白」是破壞的，切割的，是一種「直覺」。
這裡面或有平衡和空間氛圍的概念，色塊的組合是基於抽象意念爲出發，
這些純眞又動人的色塊形象，慢慢衍生爲我畫中的「人物」。
在我的畫中，藉由「人物」與「女體」觀者可進入到一個無限的想像空間，
藉由這樣的想像時空中，觀者可與畫者溝通，發展出完全不同的感覺。
——梁君午

梁君午，出生於四川成都，成長於台灣，藝術的養成在歐洲，他的繪畫歷程，更是曲折傳奇。四十多年前由於一個特殊機緣，他的一幅《蒙娜麗莎》臨摹畫作爲經國先生賞識，原本學理工的他，在經國先生的堅持及鼓勵下，毅然負笈西班牙習畫，通過嚴格的入學考試，進入了西班牙藝術的頂尖學府：聖法南度高級藝術學院，師從安東尼歐．洛佩茲（Antonio Lopez）等名家。

六年的習畫過程，蔣經國從救國團的薪水中按月匯五十美元支助梁君午學成，兩人親筆書信往來十餘封。爲了報答知遇之恩，梁臨摹一幅「燈下讀書的少女」回贈，蔣經國將這幅

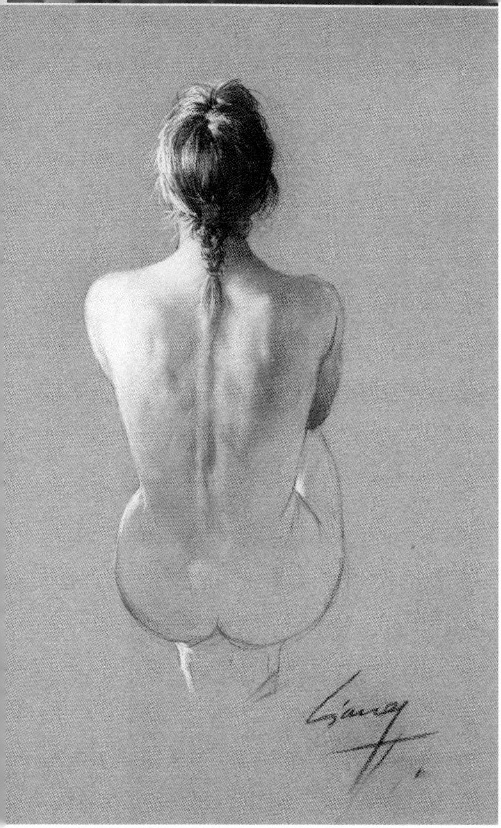

畫轉贈懂得繪畫的宋美齡賀壽以表孝思，日後珍藏於宋美齡士林官邸臥房內，成爲夫人最喜愛的畫作之一。

爾後近四十年的藝術生涯，畫展遍及歐美、台港及大陸。包括美國邁阿密藝術展、香港國際藝術節、瑞士巴塞爾藝博會等重要展出，並獲西班牙國王璜·卡洛斯一世覲見殊榮，作品獲西班牙皇家畫院美術館正式典藏。

在台灣，中正紀念堂內典藏抗戰建國的系列油畫作品、國父紀念館巨幅國父遺像均爲其作品，深受金融界、基金會及私人喜愛收藏。

此次在台灣文創平台發展基金會敦南會館的素描展——「寫·意——具象、抽象，隱性、顯性的對話」共展出四十餘幅作品，包括粉彩、碳精、鉛筆及複合媒材。

梁君午表示希望利用多種不同素材，展現素描的多元、即興，由單純線條的輕、重、轉、折及在不同層次的明、暗對比之中尋求一種平衡、和諧。

我們常說「寫意」，但人們往往關注在「意」的發揮，而忽略了「寫」的重要性，「寫」並不盡然是技巧的呈現，而是一種創作的過程。以樸「素」之線「描」繪出無限的「可能」。

（圖片提供◎台灣文創平台發展基金會）

梁君午 「寫・意—具象、抽象，隱性、顯性的對話」素描展	
時間	即日起～12／29 10:00～18:0.0（二～六）
地點	台北市敦化南路一段25號10樓

雲上的衣裳

舊衣裳柔順地熨貼在身上，
彷彿她的稜角也慢慢地柔順了許多，
防備和高傲是多餘而費力的，沉默溫順就好。

陳麒淩◎文　施凱文◎圖

如今，她還是喜歡逛舊貨店。

舊貨店，不起眼的鋪面，簷很低，蹲著似的平易，又灰濛濛的傷感。

那些誰穿過的舊衣裳啊，每一件都是僅有，不重複的花樣顏色，不重複的時間地點。她每每不自禁地湊近，卻只嗅到細細的灰塵，雜著樟腦丸子氣味的惘然。

也許這世上，只有芸姐的舊衣裳，才是香的。

她記得那段長長的日子，慘白、無味、窘。媽媽似乎很忙，忙著上班、打電話、哭泣，還有和爸爸曠日持久的離婚大戰，那樣頑強而淒慘的姿態。

她情願被他們忘了，忘了她就不必參與那些難纏的愛恨，她不要想自己的立場，她情願自己沒心沒肺。

那是個抽條的年紀啊，春天來時，她驚覺自己哪裡又長了一截，哪裡又鼓起一瘩，即使沒有關注和愛，即使只有速食麵和鹹菜的午餐，也無傷她的年華豆蔻。

也許她眞是個冷心肝的孩子，那些日子，唯一的落淚，不爲別的不爲誰，僅僅因爲一個暖日融融的晌午，氣喘吁吁地跑回家想換件天熱的衣裳，然而翻箱倒櫃忙了半天才發現，所有的衣裳都變小了。

她坐在地上就抹眼淚，確實自己是多餘的，他們容她不下，連衣裳也是。

不知什麼時候，爸爸回來了，他只敢趁媽媽上班才回來，拿一塊手錶，或者取幾本舊書，提著氣兒地悄悄推門進來，像個賊。

然後他看見她，有點無措，「嗚嗚，妳怎麼不在學校？」

她不作聲，也不動。

他難道看不到，這地上到處扔著的衣裳，卻沒有一件能穿得上，誰都看不見她長了，沒人給她添新衣裳；他難道看不到，這張綳緊的小臉還

雲上的衣裳

陳麒淩

有沒蒸發的淚水，千萬別動，別碰，別說話，淚水隨時都會崩堤。

他沒了主意，對於女兒，也許是歉疚，所以反而敬畏起來。

「要不，爸爸帶妳吃霜淇淋去，妳看今天挺熱的，咱們到江邊去吹涼風，吃霜淇淋，好嗎？」他真的沒看出她長了，他請她吃霜淇淋，七歲那年哄她的方式。

她該恨恨地喊我不去，卻喊不出，會喊出哭腔來的。

還有，承認吧，她還是想去的，沒有新衣裳，霜淇淋也是好的。

●

那個六月的午後，她第一次見到芸姐。

天上有流雲，江邊的風很大，紅綠黃的大陽傘下，漆成白色的雕花椅。

爸爸說介紹個阿姨給她認識，態度有些含糊，然而那個阿姨並沒有給她多深的印像，即使知道那女人是媽媽的宿敵。

她注意的是那阿姨身邊的女孩。

女孩靜靜地看她，從遠到近地一直看著她渾身彆扭地走來，女孩該比她大，至少大兩歲，裙子真美，薰衣草那種淺紫，髮帶也是淺紫，束起微捲的頭髮，像束起一大紮花。

爸爸讓她叫女孩芸姐，兩個大人說了一些閒扯的話，就叫她倆去買霜淇淋。

阿姨似乎很開心地，「這回芸兒可不有伴了。」

爸爸馬上接著道：「兩個小姑娘一起玩多好，嗚嗚，拉姐姐的手呀。」

她沒拉芸姐的手，芸姐也沒打算讓她拉。

她倆一前一後地穿過許多的椅子，許多的人，許多的霜淇淋攤子，不停步，也不說話。

後來就到了一個水泥釣魚臺，樹蔭薄薄地，好歹涼快一點。

芸姐站住，轉頭打量她，「妳不熱嗎，什麼天氣，還穿毛線衣？」

她嘴硬，「我不覺得熱啊。」

芸姐笑了一下，忽然伸手過來抹她額上的汗，她閃不及，漲紅了一張臉。

「還不熱，這一頭的汗。」芸姐有點嘲弄地。

她幾分賭氣地離遠些，一屁股坐在水泥石階上，馬上就燙得彈起來。芸姐格格地笑起來，「大笨蛋，也不看看地方坐，太陽曬了整天地，還不把妳烤熟了?」

「妳們初一二班就在我們樓下。」芸姐突然說，「我去看過妳。」

「什麼時候，我怎麼不知道。」

「妳怎麼會知道，妳上課下課都睡覺。」

她又臉紅了，在芸姐面前，她總是有一種焦急的窘，芸姐最多高她兩釐米，然而她卻總是覺著自己矮得不行。

她眼睛盯著別處，語氣焦躁地，「回去吧，說是買霜淇淋的。」

芸姐輕輕地哼一聲，「那麼急回去幹嘛，他們巴不得我們去遠點。」

買霜淇淋的時候，她要綠豆冰棒，芸姐卻從冰櫃裡翻出一支鳳梨夾心的明治雪糕，涼冰冰地塞進她手，「聽我的沒錯，這個好吃，我吃過。」

錢不夠，芸姐自己只挑了普通的甜筒，兩人邊吮邊走，芸姐偶爾轉頭看著她吃，有些期待和邀功似的不停問，「是不是好吃?」，「我沒說錯吧，我吃過的。」

芸姐推薦的很對，雪糕的確很美味。

然而她也只是淡淡地說，「一般。」

●

媽媽後來還是知道了這次「交鋒」。是，媽媽用了這個詞。

她想，有許多個理由讓她去討厭芸姐，她們的媽媽是對手，她們理應繼承著仇恨各自爲營，芸姐的居高臨下、不客氣、有點霸道、自以爲是，不是該討厭嗎?然而，她討厭不起來。

雲上的衣裳

陳麒淩

認識了，在校園裡碰面的機會就多了。

週一早上集會升旗的時候，有人拉她的辮子，惱火地回頭，卻看見芸姐詭笑著溜回初三的佇列。

這個人，山長水遠地擠過來就是爲了拉她的辮子！

上體育課，她練一百米起跑，剛躬起腰，就有只汗汗的手掌上來拍了一記，驚起回頭，又是芸姐，笑著道，「整個腰都露了，看妳這衣服短的。」

芸姐無處不在，她時刻擔心這人什麼時候會鑽出來，她不敢上課再睡覺，芸姐隨時會打窗子邊經過，隨時會捏起一個小紙團，嗖地命中她迷迷糊糊的腦袋。

這天放學，芸姐在門口等她。

「給妳的！」芸姐把一隻大口袋塞給她。

「什麼啊？」

「我有幾件舊衣裳，妳不嫌棄就拿去穿。」

「我有衣裳。」

「什麼衣裳，件件都小得像包粽子，妳嫌棄我立馬扔了。」

她接過那個口袋，低頭嗅到一種淡淡的香。

「這幾件衣裳妳穿了準好，本來就是個漂亮人兒，穿了就更漂亮了！」

芸姐興致勃勃地拉開袋口，按捺不住地取出一件蘋果綠的半袖上衣，在她身上熱情地比劃著，「瞧，正好，再配這條白裙子，多漂亮！」

她不耐煩地情願著，只好任芸姐擺佈，路過的人會說些什麼呢，會說她呆呆的像個木偶，她開始掙扎，「行了行了。」

芸姐意猶未盡，「對了，明天就可以穿來，我已經重新洗過了，聞聞香不香？」

「知道爲啥這麼香？我用檀香皀洗的，大太陽一曬，可香呢！」這人可眞是囉嗦。

她抱著一袋子舊衣裳走回家，胸懷裡滿滿的。這是些柔軟的舊衣裳，顏色稍稍有些淡了，反而比新衣裳明午午的色調多了些溫存，暖的、解人的、不招搖的。它們的香，彷佛乾淨的水，

半金的陽光。

她拴上門，一件一件地穿，鏡子太小，她雙手舉著它，上下，前後，左右，拼圖似的照全一個自己。

鏡子不經意閃過她的臉，看見唇間的笑意，她是快樂的，衣裳眞合適。試夠了，她用塑膠衣架把它們細心地掛好，曬在陽臺上。

天空朵朵白雲低，不慌不忙飄過頭頂，她躺著陽臺的涼席仰頭看，那些白的綠的淡紫的舊衣裳，隨著風輕輕擺起來，就好像，就好像是雲上的衣裳。

●

第二天的課間，芸姐來教室看她。

她看見芸姐，總有些輕微的緊張，手指把運動褲的線頭纏了又纏。

「妳沒穿我給妳的裙子？」芸姐失望地，「妳不喜歡，妳嫌棄是嗎？」

身邊有同學，她的語氣不能弱，「我爲什麼非要穿，我又不是沒衣裳。」

芸姐低了低眼神，沒說什麼走了。她裝作滿不在乎地，手指卻被纏緊的線頭勒疼了。

芸姐生氣了，芸姐不要理她了。

下午她換了蘋果綠上衣白裙子來，漂亮得讓男生們起哄，然而整節課，她都心神不寧地望著窗外。

放學的時候她守著樓梯等芸姐，芸姐和幾個女生唧唧喳喳地下來，她彆彆扭扭地喊了句。

芸姐驚喜地哇出來，「眞漂亮，上午幹嘛不穿？」

她低了頭，「上午跑八百米嘛。」

「我說過，妳穿這個一定漂亮，沒說錯吧，還不快謝謝我。」芸姐俏皮地得意著。

「這衣服不是妳穿過的嗎？」芸姐的同學一邊說。

「是啊是我不穿了給她的，她穿著多漂亮啊！」

芸姐有必要用那樣高揚的聲調嗎？她感覺一

雲上的衣裳

陳麒淩

絲輕微的屈辱。

她們吵吵嚷嚷地，芸姐正大笑著說什麼，她站在那兒，走也不是，留也不是。

就是這時候，林戈下樓來。

她是後來才知道這個挺拔得像棵楊樹的男生叫林戈，當時他咚咚咚地一氣跑下樓，大家齊齊望上去，芸姐突然安靜了，那句笑話收得是這樣倏疾。

她預感到什麼，只一直盯著芸姐，芸姐輕輕轉過頭去，好像不經心地看別處，卻又飛快地瞥回幾眼，那張本來平常的臉，因爲七分羞澀而動人了。

男孩昂首挺胸地走遠了。

她傻傻地問，「這人是誰啊？」

女生們壞笑起來，推推搡搡地道，「妳問芸嘛。」

芸姐紅著臉，那樣溫柔蘊藉的神色，軟軟地罵一聲，「小人家的，問什麼問。」

她當時就明白了些，只是明白得不夠多，她最多知道芸姐對那個男生是喜歡的，只是不知道有多深、多久、多絕望。

那些日子，她就是穿著芸姐的舊衣裳長大的，舊衣裳柔順地熨貼在身上，彷彿她的稜角也慢慢地柔順了許多，至少在芸姐面前，防備和高傲是多餘而費力的，沉默溫順就好。

日子總算有了些亮色，她們去遠足，去逛街，去新建的果園摘荔枝。

一路上是飄飛的裙裾，朗朗的笑語，芸姐去哪都帶她，她跟在後面，偶爾低頭，看見芸姐的影子投在自己的腳上，

●

媽媽發現的時候，她已經上初三了。

這不是很奇怪嗎，女兒穿著人家的舊衣裳在家裡晃了兩年，她老人家愣是沒看見。

「嗚嗚，妳哪來的這些衣裳？」媽媽在衣櫃裡撥拉著。

「別人給的。」她漫不經心地說。
「誰給的，是誰？」媽媽緊張地。
「別人不穿的舊衣裳——」她道。
「好端端幹嘛穿人家剩的？」
「我有新衣裳嗎？」她輕輕喊了一句，停了停，把一聲哽咽吞下去。
媽媽無語，第二天就拉著她買衣裳，只要她看多了幾眼的，媽媽都讓她試，有用的沒用的買了幾大包，兩年的補償。
新衣裳好，可她還是習慣穿那些舊的，她習慣那些淡淡的檀香，輕軟的質地，默默的顏色，就像習慣跟在芸姐身後，乖巧得像個漂亮的影子。
中考的時候，她考了二中，因爲芸姐在那兒。
芸姐在那兒，是因爲林戈在那兒。
高考的時候，她報了海大，因爲芸姐在那兒。
芸姐在那兒，同樣也是，因爲林戈在那兒。
這時候，她們的父母老早不來往了，芸姐的媽媽嫁給另一個男人，她的爸爸認識了新女友，不比她大多少，而媽媽還在繼續戰鬥。
對了，關於那個林戈。芸姐從不和她說，但她總知道的，如果芸姐哪天心情好，定是和他說了幾句話，如果芸姐臉上陰了天，定是看見林戈和哪個女孩一起走來著。
聽芸姐的同學講，高二的時候吧，芸姐寫了封信給林戈，連同一枚小巧的芝士蛋糕，據說是芸姐親手做的，一起塞進他的抽屜裡。
信沒有落款，林戈以爲誰捉弄他，笑著把信讀出來，有個男生說了句促狹話，林戈追他不著，把手裡的蛋糕用作彈藥擲去，男生躲，蛋糕碎在地上，當時，芸姐就在近處。
她能想到芸姐的神色，那樣好強的一個人，從不肯在人前輸了氣勢的，那一刻該怎樣挨過來呢。
她曾爲此特別注意過林戈一陣，這只是個平

《麥藍》

凡的男孩，喜歡紅色的球衣，整天抱著個籃球，長腿長胳膊，站著坐著都是挺拔的腰，說話很沖，笑起來驚天動地，沒心沒肺。

他怎麼値得，蛋糕事件之後，她以爲芸姐會明白。

芸姐沉靜了一段，天天下午去閱覽室，她特意跑去陪。

夏天的黃昏依然明亮，她從一本雜誌抬起頭，卻見芸姐癡了似的望著窗外，她順著芸姐的視線，那個位置，那個角度，多麼地煞費苦心，正好完整地看到籃球場，籃球場上許多人，但芸姐眼裡，只那個穿紅球衣的。

她到海大報到那天，芸姐來接她。

芸姐清減不少，有點慵懶的神態。在她面前卻還是大包大攬的威風，拉過箱子，又把背包也搶了，風火火地走前面。

「芸姐妳好歹讓我拿點嘛！」她不好意思地追過去。

「走吧，走吧，小人家的有什麼力氣。」芸姐不回頭。

「我還小啊，我比妳高了，妳的衣裳我都穿不下了！」她半是嬌嗔地叫。

芸姐回頭看她，靜了一下，笑了笑，「眞的

呀，嗚嗚長成大姑娘了。」

芸姐輕輕拉拉她的裙子，「新買的？」

她嗯了一聲，有小小的不自在。

「還行啊。」芸姐淡淡地笑笑，繼續往前走。

「要不我找個男生來幫忙，箱子挺沉的。」她跟在後面建議，突然看見對面有個穿紅色球衣的男生挎著個背囊，正對身邊的女孩笑得山響。

「咦那不是林戈嗎，叫他來幫忙吧！」她興奮地叫。

芸姐目不斜視地加快步子，「用得著嗎，妳就那麼小看我弄不了這四兩行李？」

她不敢再嚷，乖乖地走在後面。

芸姐眞的一眼都不看林戈，怎麼了，據她所知，芸姐一直沒斷過給他寫信送禮物，只不知道是否留下名字。

然而她知道林戈影響了芸姐的心情，一路上，芸姐都不說話。

是她先受不了，「爲什麼不告訴他。」

「什麼？」

「告訴他妳喜歡他，多少年了！」

「妳瘋什麼？」

「妳幹嘛要裝呢，妳所有的不快樂都是他！」說這話時，她是有些動氣了。

芸姐垂下眼，「妳瘋什麼，沒看見他有女朋友了嗎？」

「有女朋友又怎麼樣！有女朋友也不能放過他！」她不服氣。

芸姐已經走了，一個人的背影在蓊鬱的樹蔭裡，多少有點落寞。

要找他實在很容易，籃球場，紅球衣。

她懷著一腔義憤來的時候，球賽已經結束了，人也散得差不多。

林戈坐在水泥圍欄上，球衣濕透了，向上卷起半截，他正仰著頭喝水，痛快淋漓的樣子。

她恨他這麼自在，彎腰抓起個籃球，狠狠地往他背上撞去。

林戈懵了，猛嗆了口水，他站起轉身，邊咳

雲上的衣裳

陳麒淩

嗽邊找兇手，這時，他看見她。

以前也許很多次他們曾擦肩而過，眼光無目的從彼此臉上掠過，經年印像模糊，他從未這樣近地、這樣仔細地看見她。

夕陽西下，柔和的金色繞著女孩背光的輪廓，她穿著淺色的裙子，面貌清麗如新浴，儘管她生著氣，抿著嘴，儘管她的拳頭攥著，好像要打人。

他懵了，懵得結巴起來，「妳——妳——打我——」

她不客氣地回道，「我就打你了！」

他好像愧怍了「妳打我——我都不認識妳。」

他的隊友嘻嘻哈哈圍上來，這幕插曲實在好看。

「今晚八點電教樓320教室，你來我告訴你幹嘛打你！」她神色冷凝地揚長而去。

那怎麼能算是勾引呢？

很久之後她尋思前後，還是不服氣。

他比她早到，坐在第一排，教室裡的空座位，和他一起等待。

她剛洗了澡，頭髮還濕著，濡黑的頭髮，皎潔的額，她不是不知道自己那晚有多美麗。

她姿態驕傲地走上講臺，居高臨下地，宣判他的罪惡。

「你每個生日都收到信和禮物，你知道是誰送的嗎？」

他不語。

「你把人家的信大聲讀出來，把人家做的蛋糕摔碎了，你有沒有人性？」

他還是沒話。

「你算什麼，值得人家那樣死心塌地，本來人家的成績可以上北大，就是因爲你才到了這兒，你懂得人家的犧牲嗎？」

他只看著她。

「不懂得珍惜眞正的愛，不懂得感情，你的

素質眞是太低了！」她準備了許多話，眼下卻被他盯得發慌，想不起來了。

「那妳爲什麼打我？」他不露聲色地問。

「看看你是不是沒反應的木頭！」

「結果呢？」他笑笑地。

她詞窮了，眼睜睜地看著他站起來，挺拔地如一棵樹，慢慢地走近，即使她站在講臺上，他還是要比她高。

「結果證明我不是木頭，我會疼，對嗎？」他笑著，很溫柔，勾著食指輕輕地擦擦她鼻子的汗珠，她竟然捨不得躲開。

「你對不起芸姐，芸姐喜歡你多少年了！」她無力地呼喊著。

「我會非常感激芸的。」他意味深長地看她一眼，晃晃悠悠地出門去，「是她吧，是她才讓我認識了妳。」

然後輪到她懵在那裡。

芸姐是不知道這些的，那半年裡，芸姐不知道的又何止這些。

東珠影廳的九點半場、冷水湖夜半的長亭、海濱大道週末早上競相追逐的自行車、持續到淩晨三點的QQ記錄，芸姐最好別知道，永遠都別知道。

芸姐還是那樣，有了好吃的，山長水遠地端過幾層樓，沒進門就喊，「嗚嗚，猜我拿什麼來了？」她敬畏芸姐的熱情，即使吃得再飽，也得在芸姐的審視下強塞進一碗龜苓膏或者一份炒米粉。

「怎麼總是這樣忙，天天都不在宿舍。」芸姐問。

「我在忙一件大事，年底就有分曉。」她嘴裡含糊著食物。

「妳在戀愛吧。」芸姐笑道。

她嚇了一跳，連連擺手。

「妳急什麼，我又不是不准，只不過提醒妳及早規劃，將來考研還是出國，大一就該準備了。」

「那妳呢？」

雲上的衣裳

陳麒淩

「我——」芸姐欲言又止，「別學我，我是不想將來的。到時候，呵，去哪個地方都說不定。」

她知道的，還是因爲林戈。便不作聲，專心吃東西。

「妳媽給妳寄錢了嗎？」芸姐又問。

「有啊。」

「騙我幹什麼，妳們班拿信的小子說，妳三個月都沒匯款單了。」

她噎住，那種習慣性的窘迫又來了，她掩飾著，「以前的還沒用完嘛。」

芸姐笑笑，推個信封過去，「這裡沒多少，妳別嫌，是我譯稿子賺的，拿去買件大衣，天眼看就冷了，我沒衣裳可給妳了。」

她低下頭，不知道心裡的滋味，芸姐眞及時，這幾天她吃飯都沒肉，媽媽又和爸爸吵翻了，只有芸姐還記得她。

同屋的女生若無其事地從她們身邊經過，卻伸著眼睛往那信封看了幾眼。

芸姐一貫那張揚的表情，儘管早已見慣，她還是感到一些淡淡的委屈。

我會還的，她暗暗地想。

●

事情幹得不太漂亮。

她的計畫是，說服林戈去喜歡芸姐。她沒喜

歡過誰，總以爲這是件簡單的事。

她和他出去，看電影也好，湖邊散步也罷，總是她在苦口婆心或者慷慨激昂，回來QQ上接著來，她反反覆覆，理屈詞窮，而他，只是笑嘻嘻地不語。

偶爾她想，自己到底有沒有過私心，她得承認，那些個和他一塊兒的時刻，如果除去關於芸姐的話題，兩個人是多麼像在戀愛。

又或者在潛意識裡，她竟然是藉芸姐的事情在接近他，她本來就想接近他，本非那樣高尙的理由。

再後來他們的約會甚至變成，先講一套他對芸姐的虧欠，例行公事，接著話題就公然地走樣了。

她快樂，也罪惡，睡前只好一遍遍勸自己，都是爲了芸姐。

冬天已經來了，一場大雪，天地茫茫地白。

這天林戈的心情不大好，她沒察覺，仍兀自說著，「妳應該在耶誕節晚上向芸姐表白，說妳明白她這麼多年的癡心——」

「夠了，嗚嗚。」他打斷她。

大冷天他沒戴帽子，耳朵凍得紅紅的，「妳要不是瞎子，就該明白我容忍，不是因爲芸的事有多稀奇，是因爲，我喜歡妳。」

她低下頭來，天眞冷，身上卻暖和極了，這件羽絨大衣是芸姐的錢買的，手在大衣口袋裡輾轉，她不說話。

林戈苦笑了，「我太多情了是吧。妳根本就對我沒興趣，只是講義氣，想把我當作報恩的禮物，對嗎？」

是這樣嗎，她也不知道。

「好吧！」他呼出一口白氣，笑得有點慘，「只要妳開心，就把我送給芸吧。」

她有些想哭了。

「妳現在就可以去告訴芸，我會在耶誕節定一束空運的鮮花，在全校舞會的高潮，單膝跪地向她表白，就說是妳讓我迷途知返，知道誰是最值得愛的人，呵呵，這樣行了吧。」他誇張地笑

雲上的衣裳

陳麒淩

著，山一般響，空蕩蕩地。

他的耳朵凍得通紅，他的眼睛也紅，她實在是想，想從大衣口袋裡拔出一雙手去暖暖他，他站了站，不等了，抽了抽鼻子，拔腿就跑，腳下揚起一片雪塵。

她的手攥緊又鬆開，終究還是留在那裡，羽絨大衣的口袋太暖和了。

好吧，妳要的不是這樣嗎？

她很慢很慢地走回宿舍，感到特別地乏，慢些也好，她需要這段長路，這段時間，好讓自己有力氣醞釀歡喜的表情，天真興奮地跑去預告芸姐，林戈的耶誕節表白。

●

「眞的，眞的！」她睜圓了眼睛，嘴上又快又急地，「不信我帶妳去問林戈，我親耳聽他這樣講。」

芸姐拉著張被子半坐在床上看書，只是抬頭看看她，目光又落下來。

「妳肯定沒聽清我說什麼是吧，剛才我可能太高興說的快了，我是說林戈，聽清楚嗎，林戈——」她跳上床去扯芸姐的被子。

芸姐把被子拉回來，從容平淡的力道，她感到那動作的陌生。

「嗚嗚，妳在布施嗎，妳把我當成叫化子嗎？」芸姐平靜地看她。

她愣了，「我不知道妳說些什麼！」

「眞不知道嗎？可全世界的人都知道妳和林戈在戀愛！」芸姐笑了一下。

「不是那樣的，我找林戈是爲了妳，我知道妳一直喜歡他，我怎麼會——」

「誰讓妳爲了我？妳可憐我是不是，妳覺得我窩囊是不是，妳把他當成一件東西賞給我是不是，然後妳高高在上欣賞我感恩戴德，懷著優越感等我一臉賤樣地拜謝妳是不是？」

她插不上話，芸的一番搶白眞把人氣壞了，就像被圍剿的小獸，情急之下只好張口咬人。

「我還不是跟妳學的，妳不也一樣嗎，今天施捨

一件破衣裳，明天賞兩個臭錢，以爲自己了不得似的，妳又憑什麼盛氣凌人，妳跟我還不一樣是拖油瓶，有爸媽跟沒有一樣，妳又不是我的什麼人，憑什麼對我指手畫腳大呼小喝！」

話沒說完她就後悔了，她看到芸的臉煞白煞白，雙唇微張，像溺水的人，可是她不斷洶湧而出的語言，它們像一堵巨浪，猛地把芸掀倒了。

然後是沉默，驚恐的沉默。

「原來，妳一直這樣想的。」芸又笑了一下，如果那也算笑。

她心裡有一千個聲音在喊不對不對不對，可是喉嚨堵得要憋過去，她一個也說不出來。

「那麼以後，咱們就是不認識的，我的確不是妳的什麼人。」芸的語氣很平靜，想想又笑笑，「其實林戈算什麼——」

她該怎麼辦，留下來，道歉，懺悔，求芸寬恕。

可芸不是在發火，發火倒不怕，芸的火氣總是很快就過去了，而那樣的平靜，是不好的預兆。

她往床邊邁去一步，芸已經重新躺下來，翻過身留給她一道直直的背，然後想起些什麼似的，抬手把床簾拉上，沒有回頭。

她站在那裡開始哭，這下子她邁不過去了，她感覺到，她再也邁不過去了。

再小的世界，有些人也是難遇見的，如果他不要見妳。

芸姐眞的不要見她了，或許林戈也是。

她去找過芸，總是不在，數次之後她不再去了，她甚至怕芸在，她也有小小的尊嚴，該說些什麼呢？

林戈倒是遠遠地見過兩次，卻終究沒能走近，總有一個人提早繞開了。

他們很快就實習，畢業，隔著兩屆的時光，他們的事情多麼遙遠，漸漸而成陌生。

她不知道芸畢業去了哪裡，是不是林戈去的

雲上的衣裳

陳麒淩

地方，不管怎樣，她的追隨只能到此了。

她不說，只常覺得孤獨，孤獨是什麼，是天下熙攘喧囂人聲鼎沸，卻沒有一個記得妳。

這種感覺也會長大的，原來。在芸畢業兩年後，她越來越感到這點。

有個秋光明媚的天氣，她回家，晴好的天氣，適宜晾曬，鄰家的陽臺上，長長地飄灑著藍格子的被單。

她突然衝動地從老箱子裡翻出舊衣裳，芸姐給了她多少舊衣裳，五十八件，裙子，襯衣，外套，長褲，十二歲長到十八歲的尺碼，層層疊疊地展開，沉著樸素的時間質感，淡極如風的香氣。

如果它們有心，會記下多少事，芸的，她的，她們共同親近過的衣裳，如柔軟細膩的皮膚。

她穿著拖鞋跑去超市買了幾大箚衣架，五十八件舊衣裳，密密地晾曬。

風大，天晴，天空朵朵白雲低，她躺著陽臺的涼席仰頭看，那年的記憶回來了，白的綠的淡紫的舊衣裳，隨著風輕輕擺起來，那些，那些雲上的衣裳啊。

她從未對芸說過，她一直多麼熱愛這些衣裳，世上所有的華服霓裳都沒有它們暖，沒有它們香，沒有它們明亮、安穩和美好。

她該如何讓她知道。

蒲公英的微笑

及早築夢

你認為世界如何？世界就展現出你所想的樣子。悲觀者看到了悲慘世界，樂觀者相信太陽明天還會升起，微笑地迎接嶄新的一天。

蔡志忠◎文・圖

人人都有夢想，每個人的夢都很不一樣。一個人的夢想，其實就是他心目中的天堂。

●及早決定自己的一生

孔子說：「吾十有五而志於學，三十而立，四十而不惑，五十而知天命，六十而耳順，七十而從心所欲，不踰矩。」

兩千五百年前，孔子十五歲才致力於學習，三十歲才獨當一面，到了七十歲才依內心的感覺隨心所欲行事。

在十倍速率快速進展的今天，這算是非常低標準的了。

從前，莫扎特七歲時，已經是個傑出的演奏者，自己也創作出很多知名的交響樂。

高斯七歲時發現連續和公式：$S=1/2\left[n(n+1)\right]$

牛頓二十三歲時便發現了萬有引力和明瞭微積分。

愛因斯坦十三歲時開始研究物理，二十六歲發表了驚動物理界的相對論。

今天，辛吉絲十六歲就拿下奧網冠軍，十七

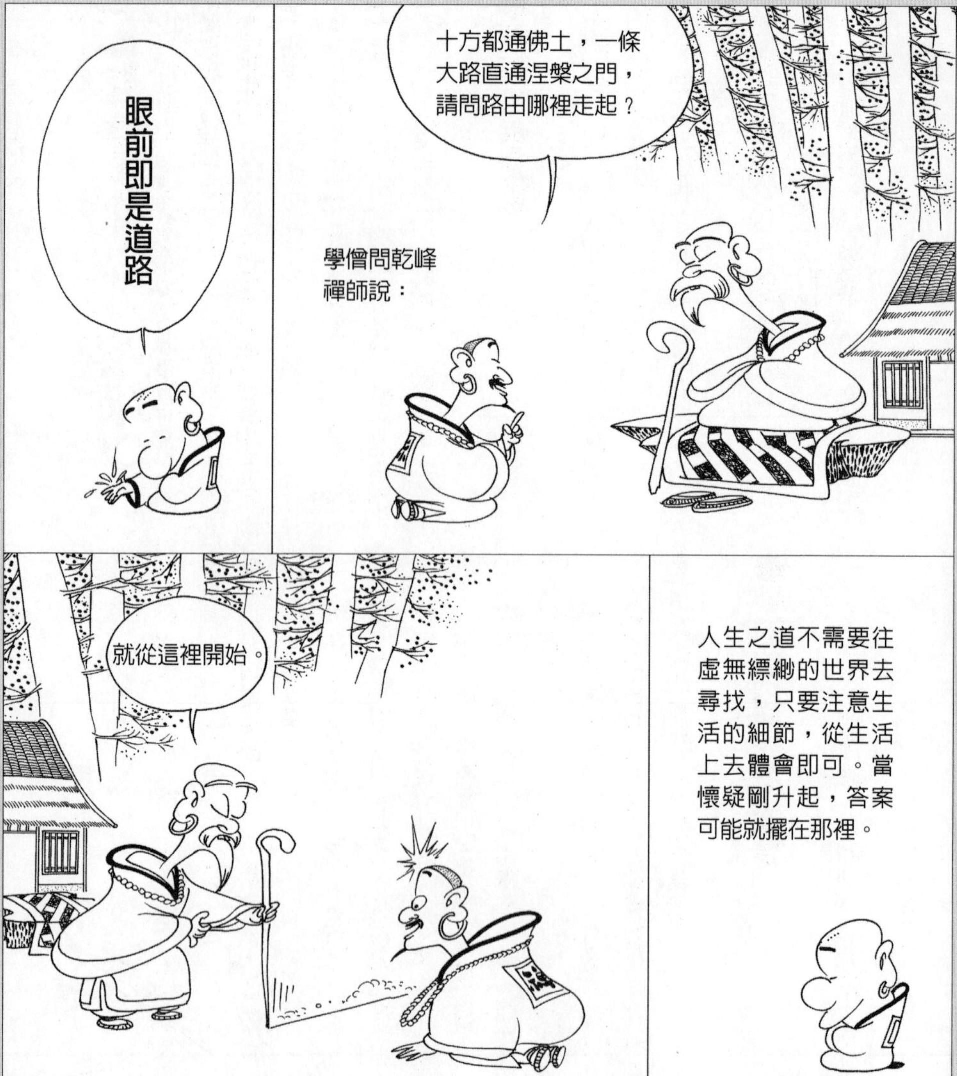
十方都通佛土，一條
大路直通涅槃之門，
請問路由哪裡走起？
學僧問乾峰
禪師說：
眼前即是道路
就從這裡開始。
人生之道不需要往
虛無縹緲的世界去
尋找，只要注意生
活的細節，從生活
上去體會即可。當
懷疑剛升起，答案
可能就擺在那裡。

歲就已經是世界網球球后。

山普拉斯十七歲便勇奪英國溫布敦冠軍，同時也是世界網球球王。

比爾蓋茨、賈柏斯、史匹伯等人早在二十歲左右，就成爲該領域的世界頂尖人物。

今天我們不能十五歲才立定志向，也不必等到七十歲時才傾聽內心的話去行爲。應該從很小便立志，很早就依自己內心的感覺行動！

●夢要築得很實際

小時候，父親問我和大哥的兩個小孩說：

「你們長大要當什麼？」

大哥的大兒子指著牆上的蔣介石照片說：

「我要當大總統。」

大哥的二兒子說：「我要當警察。」

我回答說：「我要畫電影廣告招牌。」

我不知道父親當時對這麼小的志向是否感到很失望？

長大後，三個人的志向只有我的眞正落實，只是稍微提高一點標準：「當漫畫家」。

早在父親問我志向之前，我已經花了一整年思考自己長大之後要幹什麼。

四歲半時，我從父親送我的小黑板中，我找到了人生之路，就是我很愛畫畫、很會畫畫！

畫電影招牌是當時在山邊小鎭唯一能找到的最高理想。

大哥的兩個孩子後來當然沒有當大總統或警察。當大總統的確很偉大，當警察是很神氣，但畫電影招牌的夢想才眞的很實際。

●夢想的細節要很清楚

女兒三、四歲時，我問她：「妳長大要當什

麼？」

女兒回答說：「我要當設計家。」

我繼續問：「設計什麼？」

女兒說：「很多東西可以設計啊。」

我說：「妳舉例說看看。」

女兒說：「爲什麼漢堡要圓的？爲什麼三明治一定是三角的？」

女兒說得對，創新就是偉大的叛逆，新潮流的設計就是打破傳統。

我們訂出自己的志向時，千萬不要像作文的內容一樣：

我要立大志、做大事、做一番轟轟烈烈偉大的事情，然後就沒了！

立什麼大志、做什麼大事、如何做得轟轟烈烈都沒寫，作文還可以得一百分呢。

我們問自己的小孩將來的志向時，一定要繼續逼問後續過程和細節，他便會仔細觀察自己還缺少什麼條件才能完成自己的志向。

●理想與妄想

問今天的年輕人說：「你最想當誰？」通常百分之八九十的答案都是：當今的首富。

如果我們只是期待自己能成爲首富，而首富之所以成爲首富的條件自己一項也沒有。這不叫做志向，這叫做妄想。

回顧目前世界上厲害的角色，他們都很小便找到自己人生的目標。

及早問自己問題！我將來要做什麼？要達成目標還需要什麼條件？

自己問得越早，越容易成功，自己問得越早，就會準備得早，機會永遠賜給準備好的人。

（文接56頁）

哇！正面朝上。
我們會贏。
快出發去把敵人幹掉。
贏定了。
決戰之下，果然把強大的敵軍打敗了。
神的決定，誰也不能改變命運。
將軍拿出問卜的硬幣，原來銅板的兩面都是正面。
是嗎?
企求上蒼的庇佑賜福，自己也需要盡一點氣。

命運掌握在自己手裡
古時候，有一位將軍率兵要與實力比他強十倍的敵人打仗。
帶隊前進的途中，將軍下馬向路邊小廟朝拜禱告。
現在我投錢問卜。如果正面朝上表示我們會贏，朝下表示我們會輸。
我們的命運操縱在神的手裡。

●求人不如求己

佛印禪師與蘇東坡同遊杭州靈隱寺時，到觀音菩薩的像前，佛印禪師合掌禮拜。

蘇東坡問佛印說：「我們求觀世音菩薩，爲何他也掛著一串念珠？觀世音菩薩在求誰？」

佛印禪師：「求觀世音菩薩啊。」

蘇東坡：「觀世音菩薩求觀世音菩薩？」

佛印禪師：「觀世音菩薩比我們還清楚，求人不如求己。」

我常看很多人在寺廟求神拜佛，口中喃喃有詞希望神佛能爲他帶來好運。

這個畫面眞奇怪！自己不全力以赴開創命運，只憑一點點供品燒香禮拜，就企求神祇替我們創造美好的未來？佛印禪師說得好，求人不如求己。

●人人不同

學僧問巴陵和尚說：「祖師禪和如來禪相同還是不相同？」

巴陵和尚說：「雞寒上樹，鴨寒入水。」

人人生而不同，人人條件不同，

面對相同情況時，處理的方法也不同。

選擇的人生之路也不同。

人人都擠向大學之門不叫有志，

而是沒有自己主見的隨波逐流。

別人行動而跟著行動是沒有主見，

別人行動能隱忍不動才是眞勇敢。

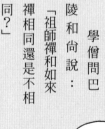

●掌握自己的命運

命運不寫在臉上、
命運不寫在掌上、
命運不寫在痣上、
命運不寫在星相上、
命運寫在每個人的心上！

每個人掌握自己的命運，
每個人走出自己的人生之道。
世間迷信命運，
命運是無能者的藉口。

●你決定了自己的世界

一個學者在書房準備明天的演講稿，小兒子卻在一旁吵鬧不休。學者便撕了一頁旅遊雜誌的世界地圖，把它撕成碎片丟在地上，然後跟小兒子說：「如果你能拼好這張世界地圖，我就給你十塊錢。」

十分鐘，小兒子很快就拼好了世界地圖，學者感到很驚奇：「兒子，你好厲害，怎麼這樣快就拼好了世界地圖？」

小兒子說：「世界地圖背面有一個人的照片，我依照這個人的照片把圖拼好，然後翻過來。我知道如果這個人是正確的，那麼世界也會是正確的。」

學者很高興地給小兒子十塊錢。

並改變了自己演講的題目：「如果一個人是正確的，他的世界也就會是正確的。」

你認爲世界如何？
世界就展現出你所想的樣子。
悲觀者看到了悲慘世界，
樂觀者相信太陽明天還會升起，
微笑地迎接嶄新的一天。

「關」法千百種，樣樣都有效！

——團體旅遊強迫購物之起源與流變

苦苓◎文　林浩榮◎圖

有人說：旅遊就是一種Shopping，不購物不成爲完整的旅遊，但你是否還聽到有人說：Shopping有兩種，一種是個人購物，一種是團體購物；換句話說，一種是自由購物，一種是「非自由」購物——又稱強迫購物，也就是硬要你買些你根本不想買，認爲不值得買，卻又不得不買的東西。

花錢的是大爺，大爺卻要被強迫花錢，那還叫大爺嗎？這樣的旅行還有什麼意思呢？然而，像這樣由領隊、導遊帶著去強迫購物的旅行仍無時無刻、成千上萬、永遠不斷的發生在世界的每個角落裡，發生在你我還有他的身邊。

爲什麼這些領隊導遊如此可惡呢？他們不是要讓我們的旅行更順利、更輕鬆、更愉快的人嗎？爲什麼要爲一己的貪念毀掉我們的旅行呢？我們好不容易存了錢、積了假、找了伴，高高興興出來當——冤大頭？不應該吧？

不過將心比心，你看那些領隊導遊（爲了避免大家還分不清楚，我再不厭其煩誨人不倦的教一遍：從台灣帶著你和團體出去玩的叫領隊——Tourleader；在國外當地爲你導覽行程的叫導遊——Tourguide 收入本來就不高，甚至連底薪都沒有，全靠客人的小費——甚至小費還要交半額或全額回公司，可說根本沒有收入——不只沒有收入，甚至還要花錢買「人頭」，先拿一筆錢付給旅行社，人家才把團體交給他帶，也就是還沒賺錢卻已先花了一大筆，唯一賺回來的辦法，第一種是開始都覺得好玩、結果都覺得好貴的「自費活動」。

另一種就是購物了，有些地方的行程未必有自費騎馬、泛舟或夜遊等等活動可做，但沒有一個地方不能購物，由此可知，購物對一個領隊和導遊何等重要（當然，某些有能力、有骨氣的導遊領隊是不會花錢買人頭的，不但小費全得，還有每天的出差費可拿，兩者不可同日而語）。

我有一個朋友，好不容易考上了華語的領隊和導遊執照，興高采烈的打電話到幾個旅行社毛遂自薦，說明自己對旅遊是如何熱情，對行程是如何熟悉，考試的分數又是如何之高，卻每次都只得到對方冷冷的反應：「那些不重要！你會帶購物嗎？不

會，那免談。」

如今三年已過，他還在苦苦等待他的「伯樂」，卻不知自己縱然是「千里馬」也沒用，還得是一匹「購物馬」才行。

爲了幫胸有大志的領隊導遊們邁開第一步，也爲了替千千萬萬的團體旅客謀福利，更爲了自己對正義感及稿費的嚮往，我今天就冒著被全國旅行同業追殺的風險（太誇張了！他們應該連追討、追罵都懶得，最多「呸！」的一聲）——其實只是好玩啦——跟大家報告一下團體購物的「楣角」（台語：訣竅）。

綜合各家歷來招數，約略可分四種，第一種叫「順水推舟」法，例如去德國蒂蒂湖的團體旅客，都會被領隊帶去搭遊船，山光水色好不秀麗，卻坐不了一會兒就被叫下船了，而碼頭邊正是賣咕咕鐘的店，大家「順勢」入店大買一通，好幾萬的咕咕鐘好像小鬧鐘一樣，買來全不費力，而這時領隊臉上的笑容就如春花般的開了，旅客也許永遠不會知道（現在知道了！可見多看《皇冠》必可增廣見聞），搭這艘船的費用就是賣咕咕鐘的店出的，甚至有的店還擁有自己的遊船，專門載一頭頭的肥羊，呃，我是說觀光客用的。

在荷蘭的首都阿姆斯特丹，平底玻璃船緩緩駛在運河上，兩岸風光好不秀麗，卻又坐不了一會兒就被叫下船了，而下船的碼頭邊正是一家鑽石店，大家「順勢」入店大買，不不，鑽石可沒那麼容易下手，但只要、只要一兩位有興趣就夠了，可以仔細鑑賞細細品味慢慢殺價緩緩成交……

其他不買的旅客難道在一旁枯等？非也非也，鑽石店附設免費的咖啡店，你可以手執咖啡杯坐在運河邊上，看一艘艘美麗的平底玻璃船悠悠行過，當然，自己是無緣再搭下一段行程了，因爲（現在你已經知道了！）這段行程乃是鑽石店「買單」專載客人來此壓榨，呃，應該說提煉吧，既然把客人的錢提煉完了，當然就不必再給船搭了。

或許你會異議：沒有啊，我也去過蒂蒂湖，也搭過運河船，行程都很長啊，也沒有帶我們去什麼店啊——恭喜你，你參加了有品質保障的中高價

團，自然和需要靠購物來補貼的低價團不同，正如我阿嬤說的：「人不識貨，錢識貨。」

現在大家常去日本了，通常五到七天的行程，最後一天早上會去免稅店也習慣了（因多半是中午或是下午飛機），但聰明的你是否想過：爲什麼第一天到倒數第二天用的都是同一部遊覽車，偏偏最後一天卻要換一輛車呢？而且，通常這個車比較舊一點、差一點，不過反正要走了，也不太會有人介意。

聰明的你現在應該一猜就中：最後一天的遊覽車是免稅店提供的。如此一來，領隊省了一天的交通費，又有購物的孔密旬（Commission）可拿，免稅店有大批「肥羊」湧入，而遊客們也可以買到自己想要或不想要的東西，豈不是典型的「三贏」局面，皆大歡喜嗎？

記得第一次去日本，一位禿頭的中年導遊，自稱是日本某大學的藥學博士，除了詳細介紹日本的歷史地理風土人情，還分析了日本的進步發展過人一籌，最後「順帶」提到日本的製藥發展，什麼藥又是如何使小孩變聰明會唸書，什麼藥又可使人心臟強如少年，什麼藥又能讓女人永保青春肌膚不老……說得頭頭是道，眾人嘖嘖嘆服，而他最後一句總結是：「總之日本的藥樣樣都好，如果能買到這些藥，那就是諸君（不愧是博士，各位都能說成諸君）此行的最大收穫了！」

說巧不巧，話一說完，遊覽車立馬停住，門一打開，竟然（還是該用果然？）就看見免稅店的大門，全車旅客二話不說，蜂擁而入、爭先恐後、「洗劫」一空，導遊臉上的笑容，頓時開得比春天的花還要燦爛。

只不過後來我又自己去了日本多次，卻發現了一件奧妙的事：那些在免稅店買得到的藥品、健康食品，在日本的藥房、超市裡卻完全看不到，那也安捏（台語：怎會這樣？）如果這些東西這麼好，全日本應該到處都是，怎會只在台灣人出入的小小免稅店中販售呢？

這個疑問積了幾年，終於得到一位賢拜（日語：前輩）的開示：如果免稅店賣的東西是全日本都有的，它怎麼能賣那麼高的價格，獲得暴利呢？眞是一

語點醒夢中人！原來這些東西都是免稅店特別委託廠商製造，只在店裡販賣（當然，也都經過厚生省認證，吃不死人的），當然就不怕旅客比價，可以愛賣多少錢就賣多少錢了，但是旅客爲什麼不會衡量到底值不值得呢？

當時我看到一位歐巴桑買了大量的類似面速力達姆（現在改名曼秀雷敦）的藥品，忍不住問她：「阿桑，這個台灣不是也有嗎？」

「不一樣。」她一副不以爲然的表情，「這是日本的，擦了蚊子不會咬！」——看吧，「信仰」是無價的。

由此你也可以知道：爲什麼有五天九千元的、甚至六千九的泰國團，那些錢明明就不夠機票加酒店加三餐加交通加門票的一半，甚至不到三分之一，爲什麼人家也可以興沖沖的去玩、好端端的回來呢？因爲台灣的旅行社把一團旅客交給泰國導遊管吃管住管玩，非但不用付錢，還要向對方收取每位旅客一至數百美金的人頭費，所以才能如此的廉價，那導遊賺什麼呢？泰國的「順水推舟」可不只是提供交通工具那麼簡單了，例如某珠寶店就會跟導遊說：「今天你全團的交通、吃、住、入園門票全都算我的！條件是……」

條件是把客人帶來我店裡「關」兩個小時！

爲什麼是珠寶店呢？因爲不管藍寶、紅寶什麼寶都是石頭，也都是「無價之寶」，你永遠不知道是眞寶假寶冒牌寶，原來「無價之寶」的意思是沒有價值的寶——不然怎麼賺回旅客所有的花費，導遊付的人頭費和他自己的生活費，以及這家店的高收益呢？

那又爲什麼要把客人「關上」兩小時呢？因爲總不能拿棍子逼迫客人非買不可，但把他關在店裡足足兩個鐘，他無事可做、走來走去，百無聊賴，多多少少會買一點——這就對了，不買就想走？別做夢了。

至於怎麼「關人」呢？那就要看第二種「閉關自守」法了。

最擅長關人的，當然非中國大陸的賣店莫屬。一般的大陸旅遊團，平均一天進三家店是正常的，別

說關兩小時了（泰國人畢竟是擅長拍鬼片的，確實比較狠。），就算一家店只關四、五十分鐘，一天的行程扣掉漫長拉車四小時、用餐如廁兩小時，再扣掉兩小時多的賣店，根本就沒多少時間能花在景點遊覽上了，即使再有名、再漂亮的地方也只能拍張照「到此一遊」，豈不掃興？

而且還不由得你不進去賣店，大陸導遊（又叫地陪）會告訴你：「公司規定的，買不買隨你，但不能不去。」

而當然只要有人買、買得夠，大家就能早點脫身，否則就「耗」啊，誰怕誰？花大錢出來玩的是你又不是他，這時候你就知道原來「寸金難買寸光陰」這句話是錯的，只要你拿出購物的錢來，就能買到旅遊的時間。

在杭州的西湖，旅遊團進了知名的龍井茶茶行，裡面布置古雅，茶香繚繞，還有美女彈著古箏，讓人心曠神怡……

不由分說，一群人被帶進一個小房間，長長的會議桌大家分坐兩邊，然後茶博士進來了（茶博士就是很會泡茶，不，很會賣茶的人），一屁股坐在會議室的最末端，他的背後就是重重關上的門；換句話說，除非把他整個人抬起來挪到旁邊，沒有一個遊客能妄想離開這個房間！

這時大家面面相覷，一邊喝著食不知味的茶一邊暗中祈禱……終於有人毅然決然開口買茶了，眞是佛心來著！一整個房間的人不由得長長「吁——」了一口氣。

相對於這種「硬關」，其他歐美東南亞國家比較流行「軟關」——雖不敢蠻橫的對客人「關門放狗」，但當大家東張西望覺得沒啥好買之後，左顧右盼卻是既找不到領隊、也看不見導遊，走到停車場的遊覽車旁，也不見司機蹤跡……只好悻悻然（悶悶不樂、很衰小的意思）走回賣店，繼續東張西望……

說也奇怪，店裡逛得久了，不知是終於發現好東西、還是爲了打發時間，多少會有幾個人出手購買（可見得「關人」還眞是有道理的！），而領隊司機導遊，也說巧不巧就正好都帶著笑容出現在大家

面前。

但他們到底「躲」到那裡去了呢?店就這麼大,附近也沒地方去,三個人中若有任何一個人被客人看到,一定會要求上車繼續行程,諒他們也不敢不從,偏偏他們就有本事消失得無影無蹤。

許多年後,我已經常隨團出國、出到和領隊們爛熟之後,其中一位才對我揭開神秘之門——眞的是門!

在西班牙一家賣店,他帶我打開賣店裡一扇根本看不出是門的門,赫然看見外面每輛遊覽車的領隊、導遊、司機,一大群人不是在吞雲吐霧,就是在喝著咖啡……

原來賣店裡設有「密室」供他們躲藏,難怪沒買東西的客人怎麼找也找不到,而一買夠了他們就會立刻出現——房間裡還有對著賣店的監視器呢!我「哦、哦、哦……」像一隻呆鵝般的直點頭,終於恍然大悟了。

關在店裡的還算客氣的,有一種泰國的廉價團,遊客剛下曼谷機場、剛上遊覽車,當地導遊就露出猙獰的面目,聲明這是超低價團,不夠成本,各位參加的人也心知肚明,既然世上沒有人會做賠錢的生意,那就麻煩大家一定要多多購物、參加自費活動……

爲了避免有人「配合度」不足影響行程,那就每人先拿出一百美元做爲「保證金」再說,不給?不給就不開車,大家一起坐到地老天荒……眼看天色漸黑,眼看第一天的旅程即將泡湯,這時再不乖乖拿出錢來的人,反而會成爲全車的公敵呢!

而第二天早上,這一幕當然還會再重演一遍,直到永遠——也沒有永遠啦,就是到最後一天。甚至有人因全團「消費」不足,在曼谷機場回程時,導遊硬是扣著登機證不放的。

除了惹一肚子氣、花一堆冤枉錢,回來還不敢找人抱怨——因爲對方的反應一定是:「活該!誰叫你貪便宜?」

大陸人去香港的特別多,也因競爭激烈,有許多零元團出現(也就是從頭到尾不用付半毛錢,比台灣的泰國團更殺),導遊無所不用其極之下,甚

至有客人因被關在購物店中、心臟病發作搶救不及而死的，眞的是把「關」的哲學發揮到一個極致。我在香港的電視節目中，看過遊客偷錄的零元團導遊，在遊覽車上對遊客「曉以大義」的畫面，他說（廣東腔國語）：「你們吃我的、玩我的、住我的，細蓋上有集麼好的細（世界上有這麼好的事）嗎？你們當然細要還的，結果你們襲麼東西都不買，叫你記費到太平山看夜景也不去，你們集樣要幾麼還我的錢？我們做人要有羞起身（羞恥心）你們懂不懂？你們今天不還，明天還細要還，記輩子不還，下輩子也細要還的，雞不雞到？頭抬起來，不要假裝沒有聽到……」

相信各位讀者心裡浮現的只有四個字：歎、爲、觀、止。

第三種方式相對文明一點，叫做「巧立名目」法。

當大多數人都深受旅遊團強迫購物之苦後，當然會有越來越多的人寧願多付一點旅費、保障自己不必被迫進賣店，市面上看到「無購物站」的行程，就是由此而來的，既然羊毛出在羊身上，羊只要願意多花錢，自然就不會被強迫「剃毛」了。

可惜道高一尺魔高一丈，雖然說好不進賣店了，但沒有說不許進博物館吧？（對有氣質的遊客來說，博物館是一定要的）沒有說不能參觀陶瓷玻璃綢緞地毯等等工廠吧？（一個國家的民俗技藝文物，當然也很重要）甚至到北京有名的老藥局看個診抓個藥，或是到拉薩見識一下有名的藏香藏藥，這也是入境隨俗吧……反正到頭來還是購物，你還是逃不掉！

這下子你知道爲什麼這幾年台灣東部如雨後春筍的冒出一家又一家的珊瑚博物館（台灣幾時可以採珊瑚、買賣珊瑚了？）、寶石博物館、大理石博物館甚至柴魚博物館、鴨賞博物館都來了——之所以硬要把賣店叫做博物館，無非是替領隊導遊擋子彈：當客人質問：「爲什麼又帶我們來賣店？」時，可以理直氣壯的回應：「哪有？我們是參觀博物館，照行程走的。」

我就曾在大陸參觀過「黃山博物館」，小小的

二樓展示間只有不到十幅大師的畫作，一樓大大的賣場倒有成千上百的「仿」文物出售，當店員熱情的向我推銷時，我冷冷的回應：「我只對樓上的作品有興趣。」

沒想到他笑容滿面：「樓上的也可以賣，你要誰的？齊白石、八大山人、劉海粟還是范曾？均一價，每幅八百。」

我只有搖頭苦笑，這些大師的作品竟然只值三、四千台幣，那擺明了就不是眞跡，擺明了就是複製品、擺明了就是爲了「冒充」博物館而變出來的花樣，眞的是，眞的是「逃不掉」。

而一山還有一山高，在江蘇無錫，已到了晚餐時間，導遊卻又帶我們進了一棟三層樓建築，裡面有人大聲吆喝著，介紹蠶絲生產的過程，當下我警覺又是賣店，立馬回頭就走，其他遊客也紛紛跟「退」，沒想到導遊在後面攔住：「往前走！往前走！看看沒關係，長點知識……」

大家只好繼續前進，一條彎來彎去的廊道都是各種養蠶造絲的設備，接下來直接上了二樓，果然是蠶絲被的大賣場，燈火通明、大呼小叫。我鐵青著臉往下走，又被導遊攔住：「看看，看看沒關係……」

「我不要看！我、們、要、吃、飯。」我堅定的吐出這幾個字，幾位同團的客人也站在身後力挺，導遊仍是笑咪咪的：「是，是要吃飯，餐廳在三樓呢，咱們還是得往上走。」

天啊！眞的敗給他了，原來這樣三棟層樓的建築物，一樓是展示館，二樓是賣場，三樓才是餐廳，而且要進這家餐廳，還沒有別的入口，只有從一樓乖乖聽人家介紹蠶絲、再乖乖到二樓經過蠶絲被的賣場，才能到三樓吃得到飯……

這樣用心良苦的「引狼入室」，這樣巧立名目的「並非賣場」，眞是令人無力抵抗。而有幾位經不起誘惑的團友，已經開始在討價還價了……果然，「關」法千百種，樣樣都有效！

比起「巧立名目」法更「進階」的，就是第四種的「施以小惠」法了——不只跟客人要好處，反而是先給客人好處，中！

很多去過瑞士的人應有這種經驗：在美麗的盧森湖搭完遊船、飽覽山光水色之後，下了船有人想上廁所，領隊會說：「這附近沒有公共廁所……啊，對了！（故作恍然大悟狀）這附近有一家×力士的錶店，廁所很乾淨，而且只要去店裡的客人，不管買不買，都會送一枝銀湯匙哦！」

客人一聽立刻「凡心大動」，心想自己雖不是含著銀湯匙出生的，但有一支支湯匙回去沒事含一含也不錯，當下紛紛附議，去店裡上了廁所、領了銀湯匙（還眞小，當牙籤差不多）之後，自然對店內陳設精美的各式名錶開始品頭論足、細心瀏覽起來。

之後一人發難、眾人追隨，買、買、買，等著拿回扣的領隊可開心了，他可沒帶客人購物，是帶客人小便哦，別搞錯。

在北京，看完故宮，或登完長城之後，導遊會忽然發現：「咦？離吃中飯還有一點時間，這附近剛好有一家×仁堂的藥房，有一位把脈神準的老師父，大家要不要去看看？免錢的！」

一聽是免錢，哪有人反對？當下一行人浩浩蕩蕩來到藥房正廳，果然見太師椅上坐著一個白髮紅顏、仙風道骨的老師父，帶著一臉慈祥的笑容爲遊客一一把脈：「嗯，你心臟不好。」，「你肝比較弱……」，「胃有點毛病是吧？」……果然神準，大家嘆服之餘又不免驚慌：「那怎麼辦？該吃什麼藥、還是補品？」

老師父摸著花白的鬍子，微笑不語，旁邊的「工作人員」紛紛開口了：「沒問題，咱們有藥方。」，「給您抓三個月份的，包好。」，「今天是各位的福氣遇上了老仙翁……」

一時間眾人七手八腳，像在拍賣市場搶商品似的，紛紛搶著抓人（抓住一位工作人員，也就是藥房伙計），拿藥、秤藥、計價、刷卡……直到一綑綑的仙丹靈藥到手，才放心的往外走，上了車，忽然有人驚呼：「哇，這麼貴！我怎麼刷了台幣一萬多的藥？」

剎那間驚呼連連，原來剛剛搶著拿藥、根本沒細看刷卡金額，這下幾乎每個人都刷了一、兩萬的「藥」錢，眞是病還沒好，人先氣死了。

義大利的佛羅倫斯，一向以皮件聞名，偏偏我參加的團體到達時，正好是禮拜天，「眞不巧，依照義大利法律規定，禮拜天商店是不准開門營業的，違者重罰……」

領隊一臉的歉意，遊客們一車的歎息，「啊不過，爲了服務大家，我們特別情商一家皮件工廠偷偷開門，讓大家可以買到品質最好的皮衣、皮包、皮鞋……」

全車一陣歡呼，「不過時間有限，大家看上了就買，不要浪費時間討價還價好不好？」全車人點頭如搗蒜，「那好，快，我們下車。」

遊覽車特意開到工廠後面，從大馬路上根本看不到，整棟建築物門窗緊閉窗簾全部放下，只有裡面傳來一陣陣台灣遊客的歡叫聲，我和領隊相視一笑，眞心佩服他「施惠」的絕招——明明爲了自己賺錢，卻弄成對遊客的大恩大德，這個人一定會成功的。

果然在好幾年後，看到他以自己成立的旅行社老闆身分，當選了領隊同業公會的理事長——人會成功，一定是有道理的。

而我一直以爲他已經是爐火純青的「非強迫購物」者了，沒想到從一位來台灣旅遊的大陸團客口中，聽到了更上一層樓的境界，爲免傳達失誤，謹全文照錄如下：

「我們的車子到了高雄，看了左營春秋閣，也在愛河坐了船之後，那個台灣導遊忽然神秘兮兮的說：『你們知道世界上最大的鑽石加工國是哪裡嗎？荷蘭？比利時？印度？不對，是台灣……噓，這你們都不曉得吧，其實一般台灣人也不曉得，南非生產的鑽石，百分之八十都是經過台灣加工，才販售到世界各地的，但是因爲害怕競爭，所以雙方簽有保密協定，連全世界也沒有幾個人知道……我？我也是透過我的舅舅，他在當立法委員，立委你們知道吧？透過他的關係才知道的。我還知道如果能在台灣買到這些加工過的鑽石，要比你在全世界任何地方買到的都便宜一半。』

「這下我們就急了，連忙問到能不能帶我們買到，他一開始說不行，我們就起鬨要他想辦法，打

電話給他舅舅什麼的，他還眞打了，說有一家廠也許可以試試看，大家可歡了，就讓車子往那兒開，那遊覽車就繞著港口邊，好像什麼圍牆外面繞啊繞的，繞到一個大門，是鎖上的。

導遊說不行，這家沒開，那我們可不依，要他找別家試試，他又打電話，又叫車子往另一邊走，旁邊都是貨櫃什麼的，到一家像是倉庫門口，鐵門也是放下來的。導遊說不行，這家也沒開，算了我們去吃晚飯了，晚上還要安排六合夜市呢。」

「我們一車人就起鬨了，都繞這麼久了不買怎麼行？氣急敗壞的非要他想辦法，他滿頭大汗的打電話，總算找到了一家，但他說也沒把握，依法是不許賣的，如果這家再沒開大家就算了好不好？

我們說好、好、先去看看再說，結果車子七繞八繞，到了一個舊舊的住宅區裡面，用鐵皮搭的好大一間房子，赫，乖乖不得了！裡面那鑽石可多了、可大了，白花花的，這下大家可開心了，一擁而上，沒忘了稱讚導遊兩句：好樣的！」

「我也買了，給我老婆買，老媽買，連我妹妹也買，眞花了不少錢，便宜？

可不便宜，不過人家導遊說是在台灣加工的，比世界上都便宜，買到就是賺到，沒錯，我算算，連旅費都賺回來了。這個導遊眞行，有個立委舅舅吧，有一套！」

「那……那些鑽石的品質……」我欲言又止，實在不相信那位導遊的鬼扯，更驚訝他的精心布局和生動演技，但人家已經買了，我也不好再戳破什麼，只想稍稍提醒他一下。

「那沒問題，台灣的東西好，不會有假的。」

經他這麼義正詞嚴的一說，我、我倒不好意思開口了。有史以來，我第一次以台灣人的身分，對大陸同胞，尤其是熱愛台灣、不惜重資、不遠千里而來的大陸遊客，感到了一絲絲的……愧疚。

而這又是誰的錯呢？怪不擇手段競爭的旅行社、怪不惜血本搶客的領隊導遊、還是怪不分好壞貪便宜的遊客？還是怪大家永遠不求進步的旅遊觀念？

答案啊答案，在茫茫的風中。

媒人公

痞子孔要當媒人？我震驚的望著他，腦海中浮現出他一個大男人在嘴角旁點顆痣，手裡一條紅絲帕甩啊甩的情景。

痞子婆◎文　江長芳◎圖

痞子孔興沖沖的衝進家門，連鞋子都還來不及脫就對著我喊：「峰哥和琦琦要訂婚了，找我們當媒人，要去琦琦家提親。」我聽了下巴差點掉下來，媒人不是要德高望重的長輩才能當嗎？我連忙追問：「怎可能是媒人？應該是找我們當工作人員吧！」只見他搖搖頭，再次強調是「媒人」。

我捧住雙頰，煩惱的說：「怎麼辦，我沒當過媒人，是不是要背很多吉祥話啊？怎會找我當媒人呢……」聽著我不斷的碎唸，痞子孔有點不好意思的打斷我：「老婆，對不起，我沒說清楚，他們是要找『我』當媒人，不是妳。」

痞子孔要當媒人？我震驚的望著他，腦海中浮現出他一個大男人在嘴角旁點顆痣，手裡一條紅絲帕甩啊甩的情景。我噗哧一聲笑了出來，反正事不關己則無礙，我拍拍他的肩膀說聲：「老公，加油！」

痞子孔這人啊，不管在工作或是學業上，一向相信兵來將擋水來土掩，更相信船到牆頭自然直，但這回當「媒人公」可不一樣。一方面因爲他們是研究所同學，其他同學可都等著要看看這個年輕的媒人公怎麼當；二方面因爲峰哥跟琦琦都是世家大族，尤其琦琦還有個九十多歲的律師奶奶，奶奶正是他們東吳法碩乙創辦人李模（已故國策顧問）的夫人。試想，站在德高望重九十多歲的師母面前，當她孫女兒的媒人，說不戰戰兢兢是騙人的。

提親前一天，痞子孔跟「GOOGLE」變成好

Shirley'2013

朋友，不斷的上網找吉祥話，我進書房關心他，只見他抱著頭哀號：「怎麼辦，我找不到國語的吉祥話，全都是閩南語的，妳趕快教我怎麼唸啦！」我還沒答腔呢，他又說了：「還有，琦琦警告我不准說有關『早生貴子』的同義詞啦，我找到的吉祥話馬上去掉一半。」

哎呀，果眞是個挑戰！

夫妻同心、其利斷金，兩台電腦一起找資料果然快得多。只見痞子孔拿出一張A4紙張，把吉祥話一句一句的抄上去，我駭笑著問他：「你不打算背起來嗎？」只見他振振有辭：「有啦，我已經背了，但是我怕明早又忘記，所以準備小抄啊！」說罷，他就上床睡覺去了，反倒是我這個當太太的，擔心他搞砸了。

隔天的提親是選在下午時分，痞子孔前往峰哥家，我則在琦琦家候著。禮車轉進巷口鳴炮後沒多久，西裝筆挺的痞子孔領著峰哥進來了，才剛進門呢，就聽到痞子孔順順的說：「今天特選好日子，友琦聖峰訂婚掛手指。一個賢慧一個古意，日後結合必是好連理。」啊？我從來不知道痞子孔的閩南語變溜了！

其他充當工作人員的研究所同學們，陸續的把新郎家送來的聘禮放在桌上，那幾百萬的現金也就算了，畢竟拿得出手的人家不少，但看看新郎家捨棄金飾，而是爲未來媳婦挑選了渾圓碩大成串珍珠項鍊，以及冰種翡翠耳環及胸針，也難怪古有俗諺「富貴三代方知穿衣吃飯」，看到這大手筆又不失格調的聘禮，不知怎的讓我心生羨慕！

這時又該是痞子孔上場了，他到新娘房請出琦琦，邊走邊講：「新娘行出房，茶盤雙手捧，確實有誠意，欲請咱眾人。」等琦琦開始奉茶，他再來幾句：「新娘眞水眞好命，內家外家好名聲，準備甜茶來相請，祝福金銀滿大廳。」

我才以爲痞子孔不看小抄也能圓滿完成任務呢！沒想到他清清喉嚨正經的說：「這是我第一

次當媒人，所以請大家原諒我有個小幫手。」說罷，他把小抄拿出來唸：「今日好日子，兩姓結連理；門當擱戶對，榮華兼富貴。」他那一口不標準的閩南語，把他的同學們笑得東倒西歪。

接下來要考驗痞子孔的記憶力了！因爲他必須把新郎介紹給新娘家的所有親友，從最長輩的奶奶、姑姑公公、姑姑奶奶到未來岳父岳母的兄弟姐妹……而且每奉一杯茶就要講一句吉祥話，諸如：雙雙對對、萬年富貴、永結同心、百年好合等等。痞子孔努力的想破頭的那個表情，跟漫畫人物頭頂一直冒出問號的場景實在像極了。

痞子孔拿出對戒交給新人，口中還唸唸有詞：「手指掛乎正，新娘才會得人疼。」、「手環項鍊雙雙對對，新娘新郎萬年富貴。」禮成後，我也鬆了一口氣，正當要衝向前稱讚他時，他又出怪招了，他說：「這一次當媒人，我實在太高興了，所以，我決定不看小抄要送新人一段話。」不看小抄也值得拿出來說嘴？我眞服了這傢伙。

他開始一口氣背了下去：「我要祝峰哥跟琦琦，一見鍾情兩情相悅三生有幸四季平安五福臨門六六大順七星捧月八面春風久久長長十全十美百年好合千里姻緣萬年富貴！」他一口氣沒停頓的背了下去，聽得我們目瞪口呆，新娘的父親首先鼓掌，我們其他人才隨後附和。我也暗自慶幸，還好沒搞砸人家的訂婚宴。

新娘的媽媽很捧場的說：「痞子孔這麼棒，接下來看看你們哪個同學要結婚，我當你經紀人來接CASE好了。」痞子孔被說得喜孜孜的，也沒想到人家只是客氣話，而且，當他拿小抄出來的那一副矬樣，已經被同學們印在腦海中洗不掉了，我看，媒人公，這輩子可能只能當這麼一次吧！

後記：痞子孔在二〇一一年十一月二十六日當了訂婚宴媒人，而峰哥跟琦琦則是在二〇一二年七月二十二日結婚，結婚當日的媒人當然是真正德高望重的長輩，痞子孔跟我也要祝福兩人永浴愛河。

老媽看女婿，看到法國去

瓦倫先生向來衷情於歷史性的老東西，家中一半家具飾品，多半是於古董跳蚤市場尋得的各類古早物，沒想到老媽悶悶的說：
「你們是不是窮到沒錢買新的家具啊？」

楊懿珊◎文
Valentin MICHAUT◎圖

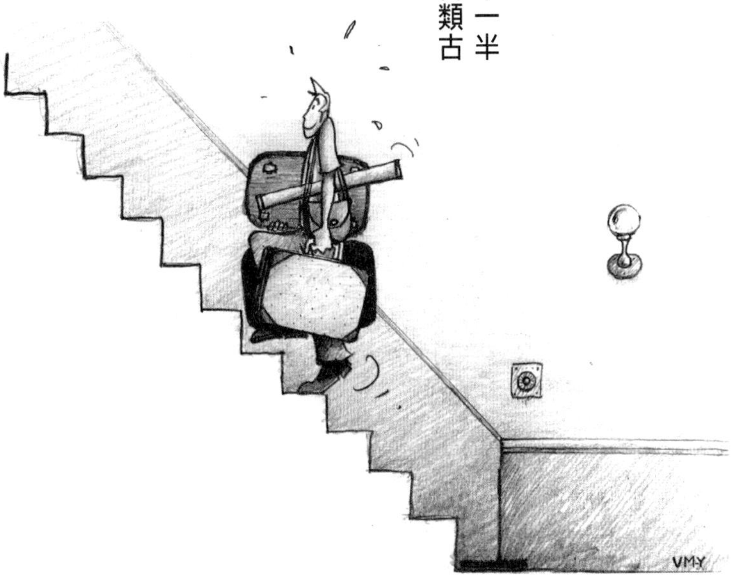

我與瓦倫先生住在一起後，老媽一直沒機會來法國參訪，對於我們的生活，只能透過越洋電話敘述。然而電話終歸電話，很多時候，不親自體驗，是無法了解前因後果的，母親也只能用其自身經驗，有限地想像、解讀這裡的生活，造成母女倆想法上有不少代溝。

阿爾薩斯土地肥沃，物產豐饒。

每年春夏秋季，總是可以在鄉間田野發現沒有人管理的各種果樹，比方櫻桃、黑莓、大黃李子、蘋果、核桃等。在適當的季節到山裡散步也可以找到各類野生珍菇。於是每年從春天開始，我與瓦倫先生及朋友們，就開始忙著踏青散步兼採果子摘野菇。

一開始，我還有些難以下手，畢竟在台灣有什麼都得用錢買的習慣，很難想像天底下怎麼可能有白吃的水果？

經過瓦倫先生解釋，才知道原來很多果樹在很久以前是有主人的，然而時間一久，農地歷經幾代轉手，不少後代不再從事農業，就無人繼續管理農事，或者是人手不足，只能管理一部分，也因此不少果樹果實累累卻沒人摘。

那正熟的果子沒人摘最後也是爛掉可惜，不如三五好友互相邀約，大人小孩一起摘果子，聯絡感情、接觸大自然、陶冶性情，同時滿載而歸。一舉數得，皆大歡喜。

只是，當我與老媽分享這有趣的經驗時，老媽悶悶地問我一句：「你們是不是沒錢買菜啊？才要去自己摘水果？」

瓦倫先生向來衷情於歷史性的老東西，而且極爲惜物，無論是外公留下來的桌子、沙發、餐具、燈、櫃子、沾水筆座，或是從小到大各個階段所使用的大小物品，瓦倫先生皆仔細收藏。

兩人住在一起時，光是瓦倫先生的老東西，就把家裡塞了一半。

而家中另一半家具飾品，多半於古董跳蚤市場尋得的各類古早物，物美價廉又耐用。

零零總總的老東西，在瓦倫先生精緻配色擺置下，把家裡佈置得別有一番特色。

隔年，我的大姐夫來訪，一進門便是一陣大喜。也愛古早物的姐夫，如同巧遇知音，一會兒坐坐眞皮老沙發，一會兒摸摸古董鏡子，同時稱讚瓦倫先生惜物的好習慣。

大姐夫回台灣後，簡單地向老媽稟報我們的生活狀況。隔天，便接到老媽來電：「聽說你們家裡很多舊東西？」

正以爲老媽感受到大姐夫遇知音的心情，開心地回答：「對啊，家裡不少東西是瓦倫的外公傳下來的，也有我們去跳蚤市集買的，很便宜耶！」

沒想到老媽又是悶悶的說：「你們是不是窮到沒錢買新的家具啊？」

在法國，有許多高齡城市，其市中心或是舊城，大多是具有百年歷史，被列入紀念性建築的老房屋。

除非具有危險性，政府規定不能拆屋重建，只能以「不破壞建築物原本結構」的情況下整修或是更新。其他因大戰時摧毀而重建的現代化建築則另當別論。

這些建築在百年前建蓋時，並沒有電梯這項設計，只有少數的老房子於近代另外增建電梯。有電梯又位於市中心的房子，通常得付昂貴的管理費，如果想住在比較便宜又有電梯的房子，就得到市中心外圍甚或更遠的新社區。

現代大樓雖然方便，卻少了迷人的歷史味兒，衷情於老東西的我們，自然不把現代大樓列入租屋考慮當中。

我們租的房子位於史特拉斯堡市中心，一棟建於一八八〇年的老建築五樓。

住在五樓的好處是視野廣，沒有對街鄰居面

對面，陽光也不會被阻擋，但是得天天爬樓梯。如果把爬樓梯當健身，無疑是一項再輕鬆不過的運動。於是樓梯越爬越習慣，越走越上手。

即便是冬天一到，身上多了三公斤的衣服、再扛著一堆要批改的作業、青菜水果等，爬個五樓也不是什麼問題。

只是一百三十年的屋齡乍聽之下很嚇人，不難聯想搖搖欲墜的樣子，老媽心裡又是一揪，問道：「這麼老的房子，能住嗎？」

愛女心切，是爲人母之常情。老媽對於我一個人在遙遠的異鄉結婚生活，看不到也照顧不到，當然會擔心我吃苦受餓，更怕我遇人不淑，嫁錯郎，對於瓦倫先生難免偶有成見。

一年前，當老媽決定要來法國看我們時，我是又高興又緊張，應該說，緊張的成分居多，而且從好幾個月前就開始緊張。沒有人可以了解爲何我緊張，就連瓦倫先生都叫我放輕鬆。

我緊張的是老媽來了之後，究竟能不能拋開成見，理解我們在異鄉的生活看似簡單、樸實、沒有豪宅、沒有大車、沒有常常上餐廳，其實是多采多姿，開心自在？

老媽來訪當天，瓦倫先生在一樓迎接，以法式傳統禮俗「la bise」熱情地與老媽親臉頰打招呼。

接著兩手一拎，將兩只合計四十公斤的行李啪嗒啪嗒三步併兩步，臉不紅氣不喘，一下子就扛上五樓。

老媽氣喘吁吁地跟隨在後，極爲驚訝說：「瓦……瓦……瓦倫先生的力氣怎麼這麼大啊，這麼重的行李也扛得上五樓，那表示他身體應該是很健康！」

進屋之後，老媽仔細環視屋內。

先是讚美屋裡採光明亮、通風良好，再看看一百三十年的房子老歸老，但是經過世代房東整修維護，也沒有地震颱風等自然災害破壞，屋況

極爲良好。

大小古物家具與阿爾薩斯傳統木筋房相互呼應，古意盎然，配上處處綠意盎然的盆栽，著實讓人賞心悅目。

同時我在一旁解釋：「這個書櫃是瓦倫先生自己釘的、那面牆原本凹凸不平又掉漆，也是瓦倫先生親手補牆磨光再上漆，畢竟法國人工極爲昂貴，可以自己動手的就自己做，不但省錢又合己意。」

老媽什麼也沒說，只摸摸那磨得精準的木製平臺圓角，拖著老花眼鏡邊聽邊點頭微笑。

接下來的幾天，老媽實實在在地跟著我們過日子——在那張六十歲的老餐桌上，早上吃著我們自己摘、自己做的各類果醬抹法國麵包；中午來一盤有機沙拉，撒上自己摘的胡桃；晚上在那只一九五〇年的老瓦斯爐上，烹製蒜煎牛排，配上自己採的雞油菌；點心則再削幾個自己揀的蘋果烘烤成香噴噴的蘋果酥。

睡前，拿出掉了漆的琺琅壺，泡一壺花茶，讓老媽好夢連連。閒暇時，老媽窩在那張眞皮老沙發，聽著瓦倫先生從三百張黑膠唱片中精心挑選的老歌。

聽說老媽喜歡吃優格，瓦倫先生便買半打優格；聽說老媽喜歡花花草草，瓦倫先生三不五時插一把新鮮玫瑰在房間；瓦倫先生熟練地切蒜、料理、擺桌、洗碗、忙進忙出，老媽全看在眼底。

一天，老媽終於對我說：

「的確，法國地廣人疏、土地肥沃、農產豐富，只要會在對的季節買對的食材，是可以吃得便宜又健康。讓我放心不少。而瓦倫先生骨力骨力（台語勤快之意），更讓我放心，不會煩惱妳在異鄉是否會太辛苦。

看到你們生活充實健康，也解開不少內心的疑惑啦。只是……你們何時要去鄉下摘櫻桃啊？眞想跟你們一起去！」

我家門前有小河

我要出門接孩子回家，卻被屋外的景緻嚇到，
門前的大馬路不見了！取而代之的是水勢湍湍的河流。

新眞◎文

圖片提供©istockp

每年總有幾個小時，我是住在「我家門前有小河，後面有山坡」的房子裡。這一切要從那年夏天，我剛搬進美國亞歷桑那州的鳳凰城這個沙漠城市說起。

夏天是這沙漠的雨季。即使事隔多年，第一次在這沙漠中遇見下雨的情形，依然印象清晰。那場雨就像任何一場台灣的午後雷陣雨，豆大的雨滴和著隆隆不斷的雷聲搶著下。

當時，我人在家中，看慣了台灣的狂風驟雨，屋外的雨勢雖然熱鬧，卻還不足以吸引我的目光。更何況這雨在半小時之後就歇住了，轉眼又是豔陽高照的午後，湛藍的天空讓人在瞬間又回復愉快的心情，忘記剛剛下過雨。

直到我要出門接孩子回家，才被屋外的景緻嚇到，門前的大馬路不見了！取而代之的是水勢湍湍的河流。

鄰居告訴我，每次下雨，我們門前的景緻就會換個樣，成了小河潺潺的畫面，不過她也說別擔心，水流不會攀上前院，更不會進到屋裡。

鄰居說得輕鬆，我卻在心中暗暗叫苦，我怎麼搬進淹水區了？雨水眞的會這麼聽話，過門而不入？

後來眞的就像鄰居說的，每回下大雨，門前就積水成河，水流總是停在屋前的人行道，不會威脅到房子。

一回生、二回熟，偶爾我們外出歸來，也可以憑著地面的水漬痕跡推判我們離家時下過幾次雨、雨勢的大小。

其實，鳳凰城全年的降雨量總和只有二一〇毫米，不多，還比不上任何一次颱風留給台灣的雨水量。

可想而知，鳳凰城的單次降雨量也很低，每回都不會超過三〇毫米，這樣少的雨量，怎麼會每次下雨就水流成河，流過我家門前呢？

匯水成河最主要的原因，是沙漠的土質造成的。話說這沙漠一年至少有三百天曝曬在炙熱的

驕陽下，這土地被太陽曬得太過乾涸，失去吸收水份的能力，再加上雷陣雨來得又急又快，下水道來不及吸納，只好任雨水四處流竄。

我居住的社區依山傍丘而建，小區內的巷道高高低低，除了是因勢順沿之外，其實也是借助地勢規劃出下雨時的疏洪路線，雨勢滂沱時，部分道路就成了現成的疏水道。我家正好就在疏洪的路徑上，難怪每次大雨來時，門前都會出現水勢漫漫的畫面。

我家門前這臨時河流，往往在雨勢止住之後，很快的就水源枯竭，恢復它的柏油路本相。雖然倉促成河，又快速散去，但是每回遇到這臨時河流時，我總是避免涉水強渡。一來不知道雨水從附近山坡含沙帶泥直衝而下，夾帶了哪些東西在流水中，再則水勢湍急，我不敢小覷它的力量。

曾經，我在YouTube中看過一段影片，有人輕忽這類臨時成河的水流的力道，強行渡水，馬上就連人帶車被水流捲走，當然，也曾聽聞有人喪生在這類水流中。這類的水流往往來得急、去得快，力量大。

根據官方的說法是雨後游移的水流只要水深達三十公分，它就能沖走路面上的車輛，展現破壞力。所以，在這沙漠中最常見到的警示牌之一就是提醒民眾小心雨後的水流。

而且，州政府還立法要處罰意圖強行越過雨後水流的民眾，提醒大家不要輕忽這水流的爆發力與殺傷力。

我想高歌「我家門前有小河，後面有山坡」的機會並不多，因爲屋後的山坡雖然終年常在，門前的小河卻只有在雷陣雨過後才有，機會難得。

如果是在白天下雨，我喜歡在雨勢漸歇之際，到屋外看看小河流，欣賞一年只有短暫幾小時的潺潺流水流過家門口的景緻，順便想像「鵝鵝戲綠波，昂首唱清歌」的畫面。

打開承載青春的盒子

才短短十幾年，與你相關的的回憶，好像都成了歷史，
遺留下的痕跡，是那麼真實，卻又那麼不真實，彷彿一場迷離的夢境。

天生凡骨◎文

圖片提供©istockphoto

家中有個小櫃子，收藏了一個盒子。那是我平常不會去翻動的所在，那裡面，藏著有關青春的層層疊疊記憶。

有時，我仍會打開盒子看看，嘴角會忍不住泛起笑意，或眼眶泛紅……

青春，究竟是像小鳥一樣不回來了……

有一枚破碎的橡皮擦，是我一個要好的高中姐妹淘送我的。高中念的是女校，她是我第一個認識的朋友。

好友總是那麼細心、包容、善解人意。她在家中是老大，天生有照顧人的特質，我則是老么，事事笨拙。

她會偷偷幫我把雜亂的抽屜整理好，隔天還放一張小紙條寫著：「太亂了喔！我看不下去啦！」

中午便當從蒸飯箱拿出來，我總嫌燙。她會用手帕去拿便當，把蒸好的便當放在我桌上。順便笑罵補上一句：「妳這懶惰鬼！」我就呵呵傻笑。她還會幫笨手笨腳的我做家政作品，讓我免於家政被當掉的羞愧命運。

還眞不知我是何德何能，讓她這樣掏心掏肺待我。

回想起來，那個年紀的同性愛，明淨純粹，有時用心之深，甚至不遜於異性之間的愛情。

那年，我的生日在寒假，她寄給我一張生日卡，並在一個橡皮擦上用篆字刻了我的名字，一個陽春但眞誠的禮物。

後來，班上轉來一個第三類組的酷帥女生，我的姐妹淘和轉學生成了知己。現在回想起來，約莫是吃醋吧，我和好友大吵一架，兩人都大哭一場。回家後，我氣得把橡皮擦切碎……好幼稚啊！

還好，十多年後，我們又把友誼撿回來。我們笑著回憶那段往事，我說我一直覺得很抱歉，她說那時她刻了好幾個小時，還怕橡皮擦質地不

夠渾厚，在地上來來回回摩擦。橡皮擦被我剁碎，她覺得很心疼，但對我卻沒有絲毫怨怒。

後來我們才知道，上了不同的大學後，我們不約而同參加了篆刻社，彷彿是爲了記憶那枚破碎的橡皮擦。

這些年來，我們都惦記著對方，甚至記得當年關於對方家人的瑣事。一說出來，彼此都驚訝不已，直呼：「妳怎麼還記得？」

原來，我們都把彼此的名字刻在心上，不曾忘懷……

有一個粉紅色口罩，是一個火爆男送我的。高三在補習班時，有天我和火爆男無意間聊起政治，理念還滿投契。

之後，我還滿喜歡跟火爆男一起談政治，也許就是憑藉著年少的一股懵懂和熱血，彷彿有些甚麼熱烈光影在我們之間牽繫著。

火爆男當然是我私下偷偷給他取的名字，他毫不知情。因爲每次談到激動處，他就會臉爆青筋。

有天，火爆男拉著我去參加抗議遊行。在一堆遊行之後的殘骸，滿地爛番茄和破雞蛋之中，他忽然開口跟我表白。

當時我一陣錯愕，心想要表白不是應該在夢幻的地點嗎？我只喜歡跟他談政治，沒想過要談感情。但想想若是拒絕，說不定會被爛蕃茄扁一頓。

我只好很沒膽地採緩兵之計，故作老成的說，現在好好念書，先別想太多，等上大學再說。

坦白說，我還滿喜歡他的頭髮，補習時他的座位在前面，頭髮閃閃發亮頗有質感，讓人錯覺是溫和的人，但一轉過頭，看到他的濃眉大眼，和常常突起的青筋，就會有種被嚇到的感覺。

其實我並不討厭火爆男，只是他太火爆，我太倔強，若起了衝突想來是非死即傷。

好死不死，我們考上同一所大學，他非常重然諾的跑來找我。有天，他在我手中塞了一個東西，並說以後要天天騎車接送我。

我打開手心一看，是一個粉紅色口罩，右下角還有個既俗氣又可愛的熊貓圖案。

我也忘了自己是怎麼冒著生命的危險，委婉地拒絕他，還好他沒有痛扁我，只是怒氣沖沖地離開，頭上彷彿還冒著煙。我連追上去還他口罩的勇氣都沒有，姑且就把口罩留下來作爲紀念。

火爆男現在任職於反對黨，一如年少時對政治的熱情，只是少了火爆，多了幾分成熟沉穩。

把破碎的橡皮擦和熊貓口罩收好，我還是無法避免地看見有關於你的一切。

翻著翻著，翻到了一疊電話卡。我深深嘆了口氣。那個年代還沒有手機，因此我們之間的聯繫，就靠著你打公共電話給我。

那時你在南部念書，晚上十一點開始，公共電話有打折，你騎著腳踏車在校園到處搶電話。每次講完電話，你的腿就被蚊子咬得滿是包。

回台北時，你總是帶給我一疊電話卡，那是你省吃儉用，啃饅頭吃泡麵餵蚊子換來的血淚電話卡。

還有一個小熊髮飾，是你送的，我拿起來摸摸它，已經沒有彈性了，鬆緊帶的部分，似乎輕輕一扯，就會瞬間崩毀。

當年，你說你參加合唱團的時候，一邊唱歌，看見站在前面的女同學用小熊髮飾綁了馬尾，心想我一定會喜歡那隻小熊。

你考慮良久，終於鼓起勇氣，問女同學在哪兒買的。女同學掩著嘴笑，原來你唱了半天，根本沒在看譜，而是盯著人家頭上的小熊直瞧。

你看她偷笑，自己也不好意思起來，沒問清楚，就騎著車在台南市區東轉西轉，轉了四、五個小時終於找到小熊髮飾。

雖然很累，倒也就這樣莫名其妙對台南的道

路熟悉起來。

回台北時，你要我轉過身，我還沒弄清楚是怎麼回事。你忽然用非常俐落的手法幫我編了辮子，還用小熊髮飾紮好。

看到小熊在我的髮尾盪著，我眞是驚喜無比啊！我驚嘆你的巧手，竟然會編辮子，還比我自己編得紮實！

我故意鬧你，掐著你的脖子問：「你是不是用別的女生的頭髮做練習？」

你笑著解釋，因爲以前喜歡做模型，坦克車的電線就是這種編法啊，你已經編了幾十輛了，當然熟練得很。

我也忍不住跟著笑了。兩人就這樣相視傻笑了很久。看著小熊，便讓我憶起那個午後……

我摸摸龍貓，上面沾滿了灰塵，身上的毛也褪了色，顯得蒼老了些，原來玩偶也會有歲月痕跡。

回想起我們第一次去ＭＴＶ，看的就是宮崎駿的「龍貓」，裡面的每一個角色我都好喜歡。看到感動處，我們會緊握對方的手。

那時學校附近有家賣精緻日本玩具的店「夢奇地」，我總會在裡面流連忘返，宛如來到天堂。

當時還是學生的你，咬著牙買了一隻九百多元的絨毛龍貓送我，我感動到差點痛哭流涕。

那時想念你的時候，我總是緊緊抱住龍貓，用手畫著它傻傻的眉眼，捻一捻它的鬍鬚，彷彿孤單也會少一些……

這幾年以來，我已經不抱龍貓了，因爲我知道，我必須自己承擔孤寂。哪怕是對著一個玩偶，我也要懂得不去眷戀，學習著不該陷溺太深。那只會讓我覺得自己更軟弱。

在一個大紙袋裡，裝的是你寫給我的上百封信，以及一張手工立體球型卡片。

爲了慶祝你寫的第一百封信，你徹夜未眠花

了八小時做了第一個卡片，不甚滿意，又花了四小時做了第二個。因爲每個圓必須環環相扣，非得要經過非常精準的計算，和仔細地切割，若其中一個有失誤，就必須全部重做。

當你完成的時候，剛好天亮，全寢室的學長陸續醒來，一致起立，爲你的傻勁鼓掌叫好。你成了傳說中的「情聖徹夜未眠」，常被拿來揶揄，你倒也不以爲意，當時我也不知情。

有天，你打電話要我下樓到信箱看看，原來你回台北時，悄悄把卡片放到我家信箱。

收到卡片時，我愣住了，就連郵票和郵戳都是你手工繪的，郵票還是細細裁切的鋸齒狀，我看了，眼眶濕熱……

撫著卡片，傻氣地想像著也許在哪一世，我們曾在一片桃花源中立下什麼同生共死的誓盟，老天垂憐，才讓我們今世又重逢……

有時我不免懷疑，究竟我的夢幻是與生俱來渾然天成的，還是被你後天豢養出來的？

你，怎麼能，曾如此深情豢養了我，又如此決絕地遺棄了我？

我彷彿被丟棄在一片洪荒之中，踽踽獨行，找不到方向，尋不著出口……

如今，宮崎駿在動畫界成了傳奇，手機人手一支，公共電話百步難尋，當年極夯的ＭＴＶ早已式微，夢奇地也在好幾年前銷聲匿跡，e-mail當然更是毫不留情取代了手寫書信。

才短短十幾年，與你相關的的回憶，好像都成了歷史，遺留下的痕跡，是那麼眞實，卻又那麼不眞實，彷彿一場迷離的夢境。東西仍存在著，卻已物是人非……

你知道嗎？我是那麼懷念以前的你……那些禮物雖然都不算貴重，卻都誌記了我們無價的青春，那些笑與淚，輕狂與癡傻，深情與愛戀。

我好想問你，你呢？你懷念嗎？

我的戀戀風塵

在西方，認為人死了會變成天上的星星。
於是，我走到陽臺，仰望夜空，
閉上眼睛慢慢地向上張開雙臂……

趙英特◎文

近日與凱利聯絡時常提到留學時候的人和事，一日她郵件中寫到：「妳和那個厄瓜多爾人還有聯繫嗎？」我立刻意識到她是指安東尼奧，那一刻，我覺得有另一個縮小了百萬倍的自己正進入我的大腦中，在億萬個記憶中的下面找到了那個寫著安東尼奧名字的記憶。凱利記錯了，安東尼奧來自薩爾瓦多，那個與中國沒有建交的國家。

二〇〇〇年的元月，我一個人在日本愛知縣偏僻的公寓裡過寒假。爲打發時間，我到書店決定買本學習語言的書，沒想好到底要學哪種語言，只因爲當時是一月，就拿了右手邊第一本，那是本西班牙語入門，這就是我爲何現在會西語的原因。

幾週後，學校的人來電說，某小學搞活動希望一些留學生介紹自己的國家。於是我去了，我和一個滿臉陽光燦爛的男人分在一組，他叫安東尼奧，薩爾瓦多人，是名古屋大學的公費留學生，整個活動中他一直很快樂，總是笑，與當時由於寂寞壓力等原因已經快沒有知覺的我形成了鮮明的對比。

他很主動地問我許多問題，其中一個是：「妳很漂亮，但妳爲何不笑呢？妳看我那麼醜都還一直在笑呢。」

那天傍晚就接到他的電話說：「明天和我出去吧，嗯，我給妳打電話絕不是要和妳約會，主要是聽說妳在學我的母語，而我本人又是教師，所以覺得應該和妳出去，哈哈哈……」

簡直鬧不懂他爲什麼就總是那麼快樂，結果我們去了動物園，所以我最早會的西語單詞都是關於動物的。

那天我雖然久違地眞正笑了，但心裡明白這不是我想愛情的時候，我是學校和日本這所大學的第一個交換生，我的成績表現對今後的學生都會有影響，而且面臨畢業，我沒有時間和餘地去想愛情這碼事。還有薩爾瓦多和中國都沒有建交，交往深了一旦眞想結婚了，該去哪裡登記都不知道，想好了這些當安東尼奧再次電話相約時我便不去了。

然而他卻時而給我發些簡短郵件，一行英文一行西文混著寫，不管什麼話題，最後總是說：「我的小女孩，今天笑了沒？」或「妳的笑是我見過最美的」之類的，被我當時判定爲「毒藥」級的話。

新學期開始了，我所在的上級班裡仍然還是只有我一個學生，然而老師有五位，他們輪番地全神貫注地教我，很多人羨慕說，這種一對一的課哪找去！但我卻彷彿是被施肥過量的植物，越來越蔫。

一天，安東尼奧來電話說，他將被派到靜岡大學去了，希望走前能見一面。

那天見到我第一句話他就說：「老天，妳怎麼了！妳看妳眉間都皺出紋了！」

我們坐到一家咖啡店裡，他說：「怎麼了，妳爲何就是不開心呢？」

我突然感到萬分委屈，眼淚立即淌下來說：「你的生活很快樂，我的壓力很大，你們南美人

都是樂天派，我們的競爭壓力你們體會不到。」

安東尼奧聽罷，沉默了一會兒，第一次用很嚴肅的口氣對我說：「妳說我的生活很快樂，其實我一直想讓妳多瞭解我一些，只是妳不讓我有這個機會。

「我的國家很窮，而且持續內戰。妳知道嗎？有一次我躲在桌子下面，子彈從我身邊飛過去，我那時想如果能活命，就一定認眞活著。所以後來我逃到美國，在華盛頓什麼活都做，最後在一家餐廳當服務員做得很好，和一個菲律賓女孩結了婚，有一個兒子。

「後來九二年內戰結束，我就想回去，我想去教英文，因爲國家要眞正好起來需要教育。但我妻子不願離開美國，所以我們分開了。

「九四年我和兒子回到薩爾瓦多，我在學校裡教書，去年國家選派公費留學生我合格了，然而我卻又要離開孩子兩年。妳看，咱們倆誰的生活裡困苦更多呢？」

說到這他用手摸摸我的頭髮說：「妳看，妳那麼漂亮卻在這兒哭，我那麼難看卻在笑。」於是我又哭又笑。

之後，安東尼奧去了靜岡，我雖在朋友們面前不承認我與他有什麼關係，然而從那時起，當我感到壓力時，總會想起他說過的話。

轉眼，我結束了一年的學習，成績優良。回國前我決定去靜岡看看安東尼奧，他知道後特別高興。在靜岡的海邊，望著無際的太平洋，他說這裡讓他想家，因爲大洋的那邊有他的家。說著他指著海說：「看到沒，我的家。」我不理他的瘋話，他一把拎我起來，讓我坐在他肩膀上說：「看到沒！以後妳需要看遠方時隨時可以用我的肩膀。世界很大，大洋好像是無際的，但那邊還有一個世界呢。」

後來他爲我在海邊拍照，他舉著相機看著我說；「啊呀呀，這個小女孩要是長大了會變成很

美妙的女士的，那時候我都老了，眞傷心。」

從靜岡回到名古屋後，我突然覺得自己不想離開他了，可是那又怎麼可能呢？我第一次主動給他打了電話，說著我就又開始哭，他說：「又哭了，妳那麼漂亮，想想妳就要回家了，妳爸爸媽媽一定給妳準備了很多中國菜，比如那種奇怪的黑色的雞蛋什麼的。」於是我就又邊哭邊笑。現在想想，那是我最後一次聽到他的聲音。

回國後，我馬上投入工作和英文考試中。回家後的愉快和忙碌讓我開始淡忘了過去的事。二○○○年十二月末，我接到安東尼奧的郵件說他很高興，因爲今年他要回家過新年，並要在家待上整個寒假。

然而二○○一年一月十三日，薩爾瓦多大地震發生了，一個月後的二月十三日又發生了同樣規模的第二次地震，四天後是第三次……電視中報導時，看著一片廢墟的那個小國，那是我第一次看到他的家，我沒有驚慌失措，不是因爲冷靜，而是徹底被擊昏了。

我沒有他在那裡的地址或電話，中國也沒有薩爾瓦多大使館，我唯一能做的就是給他日本的手機打電話，發郵件問：「你還好嗎？安東尼奧。」沒有人回答我，我只好照樣去工作，再然後就是封存記憶。

我把這些告訴凱利後，她說：「在西方，我們認爲人死了會變成天上的星星，我想念我媽媽時就去看星星。」

看了這話，我走到陽臺，仰望夜空，閉上眼睛慢慢地向上張開雙臂，「Antonio, soy yo, tu chica, ahora ya soy una Donya guapa, puedo hablar mas espanyol! y que mas...si, todos los dias rio mucho...」（安東尼奧，是我，你的小女孩，現在我都長成美妙的女士了。我也可以講很多西班牙文了。還有什麼呢……對了，現在我每天都笑很多次……）

（圖片提供©iStockphoto.com）

大愛

岳父沒有龐大可觀的財產可以遺留給孩子，
但是一生無愧的名聲，是最佳的傳家寶。

盛宜俊◎文

岳父是個虔誠的佛教徒，從年輕時代開始吃素禮佛至今已有五十餘年。雖外觀看來瘦小，但個性卻很堅毅，擇善固執而不隨波逐流。平時遇到街坊鄰居，總會很親切的對人噓寒問暖，主動幫人解決問題。同時也因爲他的剪髮技術一流、對待顧客親切有禮，所以理髮店每天的客人總是絡繹不絕，地方上都知道有這麼一位和藹的「剃頭伯」。

岳父小時生長在貧窮的新竹芎林鄉下。由於家裡兄弟姊妹眾多，雙親負擔很重，經濟壓力實在很艱困，沒有多餘的金錢供給小孩教育。因此，岳父在國小畢業後不久，就被送到剃頭師父那裡學技藝。歷經了漫長的七年學徒生涯，好不容易出師後，暫時委身於親戚家開設的理髮店，待技術更加純熟後，才舉家遷往桃園開店直到現在。

平時岳父熱心公益，常參加理髮工會的義剪活動，不但犧牲了每個禮拜的公休日，還得自掏腰包出錢出力、極力遊說同行共襄盛舉。他足跡踏遍了台灣的每一個鄉鎮，替弱勢團體免費服務，舟車勞頓也不以爲苦。也因其善行義舉，屢獲地方長官召見慰勉，當選過無數次的好人好事代表和模範勞工頭銜。岳父常常對我們說，他沒有龐大可觀的財產可以遺留給孩子，但是牆上的榮譽匾額和一生無愧的名聲，是最佳的傳家寶。

岳父雖學歷不高，但因每日勤於閱讀勸世佛經和勤練書法，寫得一手好字，常讓後輩自嘆不如。承蒙他老人家看的起，閒暇時常與我談論經典、剖析義理，並教導我人生哲理。金玉良言的教化，讓我獲益匪淺，佛理的論述可謂無遠弗屆，深奧卻又實用。

無奈人生無常，岳父因長期咳嗽不止，由一般診所轉診大型醫院的診療過程中，發現到岳父罹患肺腺癌，而且癌細胞已經擴散至肺動脈。家

人焦急萬分，頻頻詢問醫師是否有開刀治癒的機會。主治醫師面露難色欲言又止，一陣沉默後才緩緩說道：「對一個七十多歲的人來說，開刀只是增加患者的痛苦，即使執意切除癌細胞，但不保證手術能夠順利完成，你們要三思啊！」這對我們來講無異是晴天霹靂，讓人無法接受。此時岳母早已癱軟在地，在我們的扶持下，才從昏厥中慢慢甦醒，然而心疼不捨之情難以平復。

在子孫輩的深思熟慮後，我們達成了一致的決定，我們決定放棄開刀。因爲我們知道，開刀治療只是徒增岳父的痛苦，與其躺在病床上不醒人事，何不讓他有尊嚴的快樂度過殘餘的生命。

我們都知道這非常的不孝，放棄救治的機會，必定招致罵名。但我們實在不忍心我們深愛的長者，還要忍受一連串的醫療治療，忍受聽聞他虛弱的喘息聲。我佛慈悲，但願人事間的苦難，不要加諸在我們深愛的長者身上，希望他能了無遺憾的含笑離世了無牽掛。

出院後，岳父也曾消極過一段時間，畢竟即將離開深愛的我們，他非常不捨。藉由佛經的閱讀，他漸漸的體認到這一切都是佛祖的試鍊，考驗著他如何體現佛祖的慈悲。出乎我們意料的，他老人家申請了大體捐贈的志願書，而且親自跑了一趟花蓮慈濟總院，詢問有關捐贈的事宜。初時岳母極力反對，因爲她無法接受深愛的丈夫遺體接受刀斧的毀損。感於岳父的付出，內人反而極力勸說岳母，希望岳父一生的修行能夠得到圓滿的結果。在多次的遊說下，岳母也含悲的簽下了同意書，大愛的獻出了她深愛的一世伴侶。

在親情的陪伴下，岳父以喜樂的心情平安至今已一年有餘。因爲我們時時深信，只要服膺證嚴法師所言：「生命無常，慧命永存；愛心無涯，精神常在。」人的一生，也會過的有價值和快樂的。

辜負

這孩子用情太深，如果不能回應對等
的情感，就是辜負與傷害……

奈良富彌◎文　施凱文◎圖

面試後，山哥手舞足蹈，一路跳躍回到家。花子守在門口，等不及山哥脫下鞋，已經撲在山哥身上，興奮親吻山哥。

「花子，如果進Ａ＆Ｍ，薪水翻倍，我們就搬到象山下……」山哥捧著花子的臉。

「換個大一點的房子，每天到象山去散步。」花子側著頭，圓滾滾的眼睛專注盯著山哥的臉。

一個月後，山哥走進Ａ＆Ｍ辦公室，桌上放著一盒創意總監的名片、一本Ａ＆Ｍ全球員工手冊、一組文具及一台全新的ＭａｃＰＲＯ。分配到山哥組裡的，有六個創意人員，進口車、便利商店、手機和寵物、食物等四個年度預算超過三億的中大型客戶。

經過朋友輾轉介紹，山哥順利搬到挹翠山莊，一間四樓公寓二樓的空房。行李雖然已全數搬進了新房子，卻一直維持裝箱狀態堆在牆角和陽台邊。那時寵物食品的年度提案已經開始。

「乖乖在家等我，晚上就回來陪妳散步喔。」山哥把花子最喜歡的胡蘿蔔餅乾和雞肉條放進花子碗中。走到門口，花子不敢叫出聲音，低聲發出嗯~嗯~的長音，深情的眼神目送山哥出門後，趴在地板上，聽著山哥逐漸走遠的腳步聲。

那段時間，山哥每天有一半的工作時間，是帶著組裡的創意人員在公司的Ｉｄｅａｂａｒ，討論寵物和主人之間的互動與情感。山哥總會想起花子故意躲在門後，伸出頭來，期待山哥轉身追逐她的表情，還有兜風時，坐在副駕駛座的花子，雙手搭在車窗上，舌頭隨風飄，那張咧嘴而笑的臉。他覺得沒有比隨風飄的舌頭更可愛的畫面，於是把這一幕，畫在腳本的一開始，完成整套創意表現。

花子總是趴在門口，傾聽山哥歸來的腳步聲，有時九點、有時十點，經常超過十二點。漫長的等待只爲開門的瞬間，興奮撲在山哥身上，舔著山哥的臉。

十點前還好，在挹翠山莊散步，不至於影響

到社區鄰居，十二點過後，就算花子安安靜靜，光是腳步聲，都可能引來警衛的關照與問候。

第一次年度提案，慘遭客戶否定後，山哥帶著組員繼續挖深寵物和主人之間的互動與情感。他認爲是默契，那是一種共同生活之後，介於家人與情人間，特別的默契，不只窩心，還有深深的感動，他興高采烈說著，有好幾次和花子在同一時間張大嘴打哈欠，那時，甚至感動到瞌睡蟲竄逃，忍不住把花子緊緊摟在懷中……

組員把人、狗同時打哈欠的劇情，畫成腳本後，已經過了午夜十二點。山哥在回家的路上，想著陪花子散步的時間愈來愈少，這和當初與花子的約定有很大的出入。他帶著歉疚回到家，花子依然熱情撲向他，舔著他的臉，繞著他到沙發邊，趴在他的腳指頭上。

山哥看著花子的碗，有時剩了餅乾，有時留下肉條，也有幾次兩種看似動都沒動過，完好留在碗中。他看著花子的身體，似乎瘦了，皮毛也少了光澤，才意識到這一陣子花子撲向他的力道，似乎比以前微弱了。

花子並沒有像以前那樣，興奮繞著他，催他一起去散步。也不再用鼻子發出類似仔豬的聲音，跟他撒嬌要餅乾吃。花子懶懶地趴在地板上，最多只是抬起眼睛看看他。

山哥出門後，花子經常趴在窗檯上，看著走動的行人中是否有山哥的身影，雖然她知道山哥不會在白天回來。經過堆滿餅乾和肉條的碗邊，她想起自從搬過來後，山哥不再親手水煮胡蘿蔔和馬鈴薯給她吃。

她沒有抱怨，只是想念山哥陪在身邊的日子、山哥身上的菸味、還有山哥用毛刷幫她梳毛後，按摩肉球時彼此的歡樂。花子嘆了一口氣後，走回門口，趴在門縫邊，等著山哥早點回來。

默契這東西，能賣錢嗎？我們要的是業績！提案再次被客戶否定後，山哥接連和組員在Ｉｄｅａｂａｒ絞盡腦汁。他想起和花子對看時，花子深咖啡色的瞳孔中，映著自己的身影，還有

散步時，花子總會壓抑自己興奮的腳步，觀察山哥的眼神，調整自己的步伐。他覺得花子了解他眼神中無需開口的訊息，寵物的個性中，有一部分是主人個性的延伸，也有與主人互補的那一部分。

他把這個想法畫成了腳本，試圖說服客戶，了解寵物，正是該寵物食品的初衷，透過該牌寵物食品，感謝寵物無怨的守候，每天和寵物做良好的溝通與互動。

寵物食品的年度提案，客戶終於買單。七點過後，山哥急著回家陪花子散步。

花子搖著虛弱的尾巴迎接山哥，碗裡的餅乾與肉條和早上出門前一樣完整。

「花子，怎麼啦？哪裡不舒服？」山哥捧著花子的臉。花子眼中閃爍著山哥未曾見過，撲朔而不澄朗的眼神。

「散步喔！」最讓花子亢奮的一句話，山哥連續說了三次，花子也只是注視著山哥，沒有移動身體。

山哥抱著花子上車，花子不再露出裂嘴的笑容和舌頭隨風飄的表情。

花子趴在看診檯上，無辜的雙眼看著山哥，身體微弱抖動。

「是憂鬱症」醫生說。山哥覺得醫生有點太誇張，甚至懷疑醫生的判斷。

「對新環境的不適應，或者作息的改變，都可能累積壓力」醫生表情相當嚴肅。

「我給你抗憂鬱症的藥，一天吃一顆，塞到香蕉裡，給她一口氣吞下去」醫生說完，摸摸花子的頭說，「不要想太多，主人是愛妳的……」

寵物食品進入拍片階段，重疊著新款汽車上市廣告的提案。山哥進入另一波密集加班高峰期，他甚至忘了給花子買吃藥用的香蕉，每天重複著十點以後回家，重複倒掉花子碗中的餅乾和肉條。

「花子，等片子拍完、案子提完，一定早點回來陪妳……」山哥摸著趴在地板上的花子。花子不再翻過身來讓山哥撫摸、按摩她的脖子和腹

部，也不再從鼻子發出如仔豬般哽～哽～的撒嬌聲。

接連拍片和後期剪接，連續幾天加班到天亮才回到家。山哥發現花子頭上有乾掉的血跡，他不知道那些血跡是幾天前留下來的。他後悔就算再晚回家，也該好好看看花子，陪花子玩，哪怕五分鐘也好。

山哥發現牆上也有幾處乾掉的血跡，他以爲是花子不小心撞到，雖然他一度想著花子的平衡感一向很好，卻因爲太過勞累，不知不覺睡著了。

第二天，山哥想要早點回家，又被突然擠進來的會議給卡住了。到A&M才滿三個月，他想要有更好的表現，在創意上和領導能力上，他更想要一舉拿下坎城廣告獎。他想起花子注視他時那對深情的眼神，以及彼此對看互眨眼睛時，花子生動的臉，而那張生動的臉上竟然沾著血跡，他在會議室內，聽著市調的結論，一再想起花子頭上和牆上的血跡。

回到家後，山哥把花子的頭夾在兩腿中間，撫摸花子的頭部，看著花子頭上的血跡有擴大的跡象，他以爲傷口發炎或惡化，幫花子擦了藥後，醒來已經是早上九點。他想再帶花子去醫院，可是十點有個新款手機的比稿說明，非他出席不可。

下班後，山哥排除萬難回到家，花子一如往常趴在門口等他。

「對不起！對不起！花子……」山哥抱起花子，發現花子頭上多了幾處大大小小的血跡。山哥急著把花子抱上車，花子趴在副駕駛座，用一種極度歉意又無辜的眼神，深情看著山哥。

「是自殘。」醫生的判斷嚇壞了山哥。

「憂鬱症的自殘……」山哥想起上回醫生說，買香蕉給花子吃藥的事。

「上次給的抗憂鬱症的藥吃了嗎？」山哥吱吱唔唔不知道如何回答。

「這孩子，用情太深……他們也有情緒，開不了口溝通，只好透過一些異常的舉動，多陪陪

她，不然會更惡化……」

那個週末，山哥把做不完的工作，集中在星期六。星期日打算帶花子去爬象山。他把抗憂鬱症的藥，塞進一截香蕉內，讓花子吞下肚。花子走到牆角，像是刻意與他保持距離，安安靜靜趴在地板上。

「去兜風好嗎？」山哥看著花子虛弱的身體，可能爬不了山。

花子不再像從前，興奮繞著山哥團圈圈，只是側著頭，若有所思凝視著山哥。山哥載著花子前往東北角海邊，冷冷的秋風吹進車內，花子不再像從前把手握在車窗上，讓舌頭隨風飄。

「花子，對不起。」山哥想起上次帶花子出來兜風，已經是半年前的事了。

花子趴在副駕駛座上，偶爾抬頭看山哥，多半時間是沈睡。

寵物食品順利交播帶，客戶相當滿意廣告片中，狗和主人散步，用眼神互相溝通，彼此調整步伐的劇情。市場部也回報那波廣告後測，好感度相當高。山哥由衷感謝花子的守候，讓自己有這麼多深刻的感動，可以轉化成動人的廣告片。

那一陣子，新車上市廣告的提案，重疊著新型手機的比稿，下班時間幾乎固定在午夜過後。無論山哥幾點回家，花子總是趴在門口等候。

山哥驚見花子頭上大量的血跡，從耳邊，一直流到下巴。

「不要再做傻事了，好不好，花子……加班再過一陣子就結束……」

山哥擦掉花子頭上的血跡，給花子擦上消炎藥，躺在花子身邊，陪花子一起入睡。

隔天早上，山哥幫花子換上乾淨的睡墊和如廁棉墊，在花子碗中放入餅乾、肉條和半顆切塊的蘋果。山哥在會議室中掛心著花子，可是會議一個接一個，一直到十二點過後回到家。

從接近門外到鑰匙插進門鎖孔中，山哥始終沒聽見花子的動靜，他心急打開門後，不見花子站在門口搖著尾巴迎接，連趴著的身影也沒有。

山哥衝進屋內，從客廳繞到臥室再到浴室，

像以前和花子在屋內玩追逐遊戲一樣，繞了整間屋子一圈後，在廚房角落，看見花子的身體，冰冷地躺在十二月的地板上，沒有呼吸，也沒有心跳。

山哥嚎啕大哭，順著花子的身體，摸著花子不再溫暖的白色短毛。花子安安靜靜、冰冰冷冷、動也不動躺在地板上。

山哥把花子抱到早上剛換上的睡墊上，用毛刷梳理花子全身的毛，從頭部到頸後、背部、到曾經是最溫暖柔軟的腹部，再到總是興奮、滿心喜悅迎接他那條不再搖晃的尾巴。

「這孩子用情太深，如果不能回應對等的情感，就是辜負與傷害……」獸醫當時說過的話，再次重複在耳際，竟然變得如此深刻。

山哥控制不住自己的眼淚，眼淚幾度掉落在花子動也不動的身上，他一再擦拭花子身上的眼淚，守著花子的身體，一直到天亮。

山哥找不到放得下花子的大紙箱，他用毯子裹住花子僵硬的身體。離開之前，他剪下花子耳後一搓白色短毛，放進玻璃罐內。

十二月早上，冷空氣沉重包圍著山哥。山哥抱著毯子裡的花子，走進寵物禮儀公司。遺體火化後，他把骨灰放進靈骨塔，暖暖的眼淚不斷滑在冰冷的臉上。

「這孩子用情太深，如果不能回應對等的情感，就是辜負。」獸醫的話，再次襲胸而來，他感覺到花子繞在身邊，那股熟悉的柔軟與暖意，忽前忽後，時左時右……他知道那是錯覺，花子不會再回來了。

一個人回到沒有花子的家，冷冷清清，寂寞而悲哀。走道上傳來花子的爪子快跑過地板的聲音，山哥知道一切都是錯覺，可是竟然如此清晰而真實。

他打開電視，電視剛好播放著那支，狗與主人散步，用眼神互相溝通，互相調整彼此步伐的寵物食品廣告片。山哥崩潰了，他過度悲慟的眼框中，堆滿了對花子來不及彌補的歉意，在眨眼的瞬間，隨著淚水不斷流下來。

觸控式戀人

刻意營造不經意的肢體觸碰，
星星之火也能燎原。

谷淑娟◎文

我不是故意要躲在廁所裡偷聽，但是當時我人在工具間刷洗我的垃圾桶，於是一切變得神不知鬼不覺。

A女說：「下次聯誼不要再找夏娜了好嗎？也不是長得多漂亮，沒想到竟然就把幾個男人迷得神魂顛倒的，整個場子變得好像是她的個人舞台一樣。」

B女回應：「只有一個字能形容她，就是『敢！』跟男人說沒兩句話就動手動腳的，男人這種動物最禁不起肉體的誘惑了，只要稍微給他們來點觸碰，就會讓他們的感應裝置全面啓動。」

A女：「下次聯誼找薔薇吧，她溫良恭儉讓，不具威脅性，不會搶她人風頭。」

廁所淨空後，我跟我的垃圾桶，搖搖晃晃地跌出了狹小的工具間。

原來，大家都是這樣看我的，一陣失落襲上心頭。

「薔薇，下週妳要跟我一起到外地出差，可能要待上兩天，準備一下。」經理拍拍我的肩膀，還沒等我回應轉頭就走了。

對他來說，我也是一個沒有侵略性，甚至沒有存在感的女人嗎？

這次出差，我決定花些時間做點功課及規畫。而且我找到了可以「見賢思齊」的對象，那就是在公司幾乎沒有什麼女性朋友的夏娜。

她的眼睛不夠大，卻老是光芒萬丈；她的嘴形不夠美，卻永遠笑容全開；而跟男同事你來我往間，不管是吃飯、走路、談笑，她總是有辦法觸碰到對方。

反觀我，我比她眉清目秀，卻像隨時可以用橡皮擦清除一樣；我比她忠孝仁愛信義和平，跟男人卻永遠沒有交會點。

我跟蹤夏娜，努力學習模仿。

終於到了出差的這一天，我染深了眉、描上了眼線，雲淡風輕了這麼久，就算沒有狂風暴雨，也該是來點午後雷陣雨的時候了。

爲了方便拜訪客戶，經理還是習慣自己開車。途中到了休息站，依照慣例我幫忙下車採買提神飲料及食品。抱著大包小包的東西準備回到車上，突然一陣涼風吹來。

「啊！」我突然停住了腳步。

「怎麼了？」

「我眼睛好像進東西了，好痛！」

「那怎麼辦？妳手上的東西先給我。」

我故意挪開雙手不讓他動我手上的東西：「幫我在包包裡找一下眼藥水好嗎？拉開那個粉紅色的化妝包，裡面有一瓶綠色的眼藥水。」

我一個口令他一個動作。

就這樣，他埋首在我掛在肩上的包包裡，努

力翻找著，並且小心翼翼不要觸碰到我的身體。

我喜歡他手忙腳亂的樣子，跟他平常指揮若定判若兩人。

「找到了！」他像小孩子一樣，把好不容易挖出來的眼藥水，在我眼前獻寶邀功著。

「可以幫我點嗎？」我就近找了一堵牆，佯裝害怕地緊緊靠上。「來吧，請你溫柔一點。」

然後他的手觸碰到我的眼睛，有點顫抖地輕輕撐開它：「我要點囉！」

我聽話地點點頭。

「怎麼樣？舒服嗎？我的意思是有舒服一點嗎？」

我用水汪汪的雙眼含情脈脈地凝視著他：「好多了。」

終於，像完成一件大事似的，他鬆了一口氣。

然後我們走回停車場，他小心翼翼地幫我拉開車門。

一年多來，身爲他的秘書，他也幫我開過無數次車門，但是沒有一次像今天這樣，用一種男人對待女人的方式。

沒想到觸碰的力量這麼大。

接下來是一連串忙碌的客戶探訪行程，好不容易兩個人可以坐下來好好吃一頓像樣的晚餐時，已經是晚上十點鐘了。他一隻手忙著吃晚餐，另一隻手還不忘一邊翻閱明天的客戶資料。

「我吃不完，幫我好嗎？」

我把盤子裡牛排最多汁的部分切成小塊，趁他一抬頭的瞬間，用叉子遞到他的嘴邊。

他愣了一下。

不容被拒絕地，我的叉子又更靠近他一些，他只好一口吃下我叉子裡的牛排。

「好吃嗎？」我故作輕鬆地問他。

他點了點頭，緊接著裝忙猛盯著手上的資料

看。我一邊跟他報告明天的行程，一邊連續不斷餵食他我盤子裡的食物，而我發現他手上的資料一直停在同一頁。很好，這樣就對了！

一回生兩回熟，第二天中午因爲要趕行程，早餐跟午餐都是在車上吃壽司打發掉的。從前都是他趁紅燈的時候，才緊急把放在大腿的壽司一粒粒隨手塞進嘴裡的，這次我故意把壽司放在我的大腿上，由我負責一路餵食他，而他，已經理所當然地接受這一切，彷彿這是秘書的天職一樣。

這天晚上，任務終於都告了一個段落。

「這幾天妳辛苦了，晚上想吃什麼，我請客！」

「我想要逛夜市耶，聽說這裡的夜市很好玩。」

「逛夜市要走很遠的路，我怕妳會太累。」

「沒關係我喜歡走路！」

我心想：你放心好了，我已經研究過了，這裡的夜市一到週末就會擠到水洩不通，人擠我、我擠人，根本就沒有空間可以走太遠太久。果不其然，今晚夜市完全呈現沸騰狀態，我們舉步維艱。

走著走著，我們幾乎要被人群沖散。

「經理！」我高聲呼喊著已經被推擠到人群前的他。

他回頭在人海中驚慌失措地搜索著我。

他奮力地撥開人群向我走來，我則使盡力氣地向他伸出了右手。

終於，他緊緊地抓住了我。

就這樣，我們手牽手心連心，再兇猛的人潮也無法將我們分開。好不容易找到一間空間比較餘裕的街邊餐館，我們氣喘吁吁，一時之間還沒打算要放開彼此的手。

看到櫥窗裡一個個可口誘人的套餐模具，我鬆開他的手，貼到玻璃櫃上，回頭呼喊他：「經

理你看，這些套餐看起來都好美味喔，你想吃哪一個？」

他還有點無法回過神來。

我故意拉拉他的手腕：「好餓喔，你快點過來選！」

面對眼前鮮豔的各式擺盤，我孩子氣地說：「數到三，指出你最想要吃的那個套餐，如果你跟我選的一樣，我請客！」其實我現在最想吃的是排骨飯，但是我知道他最喜歡吃的應該是紅燒牛肉麵才對。

「我要數囉：一二三！」

我們的食指一起在牛肉麵前的玻璃櫃上重疊。剛剛明明還緊握過我的手，現在只是輕觸碰到我的食指，他卻像觸電一般彈開：「對不起。」

我像逮到小偷一樣抓住他的手：「爲什麼要說對不起？吼！你剛剛是作弊的對不對，看到我指牛肉麵才見風轉舵。」

明明沒有作弊，但他卻像作弊一樣邊搖頭邊心虛地臉紅起來。

「沒關係，你請客我就不會把你作弊的事情說出去。」

「我本來就想要請妳！」他反過來抓住我的手，刷一聲，很有氣魄地推開小店的木門。我們大啖牛肉麵，還以慶祝這次出差成功爲名，暢飲生鮮啤酒。

「你怎麼像小孩子一樣吃得滿嘴都是！」即使只有沾到一點醬油，我也言過其實地伸出手去，用我的皮膚抹去他嘴角的多餘，而他的害羞跟喜悅則順著我的觸碰在嘴角蔓延開來。

回到飯店，雖然酒精讓我們都有點茫了，但我能感覺到他也跟我一樣，不想太早回房休息。

「明天是假日，經理你有事嗎？我們順便再繞去西子灣走走好嗎？我早就想去那裡了。」

他的眼睛藏不住地閃閃發光著。

「啊！但是我的地圖放在房間裡，你現在想睡嗎？要不要我們先研究一下明天的路線。」

酒精混雜著疲憊，讓我們卸下武裝隨性地趴在床上，對著那一面海闊天空的地圖指指點點，時而我的指尖追逐著他的，時而他的指尖尾隨著我的，而大多時候，我們的指尖在某個共同嚮往的地方重疊。

我想這一次，我已經完成了自己交派給自己的出差任務了。

回到公司後，我又習慣性地跑到工具間去刷洗我跟經理的咖啡杯組。

門外又傳來最新頭條。

B女：「不是說這次聯誼要找薔薇嗎？爲什麼現在又說不要了？」

A女：「我看到她那個噁心做作的樣子就倒彈，像這種有幾分姿色就賣弄風情的女人我們不歡迎她。」

C女從廁所推門出來：「我聽老吳說，那天他還不小心在休息站看見薔薇跟經理兩個緊靠在牆邊親熱，眞是夠了！像經理這種優質男怎麼會栽在一個小妖女的手上啊，早知道他這麼不禁誘惑，我們也不需要對他客氣啊！」

廁所淨空後，我志得意滿地從工具間邁開大步走了出來。今天晚上經理約我去他家嚐嚐他在外地留學時鍛鍊出的好手藝，除了買一瓶紅酒當禮物外，我還借了幾片聽說會嚇破膽的經典鬼片。

雖然說看鬼片算是身體接觸的老梗了，但是，觸控式戀愛養成法，就是任何一個能 touch 到的機會都不容錯過。

我深信全方位的多點式肢體觸碰，星星之火必能燎原。

裸奔

赤身裸露馳行於大街，
夜風張狂拍擊他每一寸肌膚。
是微微刺痛，是莫名暢快。

周運之◎文

圖片提供istockphoto

夏夜焚風，輕拂。

鄭宥達孤身佇立於岷湖街口，一眼眺去，午夜的商街空無一人，只有數盞昏黃路燈伴飛蚊閃繞。

一里長的短街，輕易能看到盡頭，從這頭跑至另一端，宥達預估以自己的腳程，不會超過十分。

「跑？不跑？」

腦中思緒還在黑白辯證，是否要進行此瘋狂舉動，四肢動作已先一步決定方向。

脫，解開束縛他數十年的領帶，他像嬰兒體驗出世第一口呼吸的暢快。

脫……老師傅訂製的西裝滑落在紅磚道，發出啪嗦一聲，輕搔心尖頭的麻癢。

脫——白色襯衫黑西裝褲，像具硬挺武裝甲殼。如果撇下它們，是會像毛蟲化蝶的升華，或成爲戰場凜然曝裸於兵器下的士兵呢？

夜風打到宥達腳邊，轉了個哆嗦。

「剩下汗衫與內褲……」

褪去還未起跑便染汗水的內衣，四角褲成爲最後一絲攀緊皮膚的道德意識。灰色薄布貼附他的私隱，沾黏他的社會責任，他的情感他的靈魂——

脫去所有衣物！

宥達不顧一切奮力向前狂奔，任思考隨飄遠的衣物，一起趨化爲零。

赤身裸露馳行於大街，夜風張狂拍擊他每一寸肌膚。是微微刺痛，是莫名暢快。

他感覺自己像無限擴大，再擴大——似魚似龍。奔過第一柱燈時，宥達腦海深處傳來回憶的聲響，少年們聚眾起鬨打賭：「輸的人要裸奔！」

來自多久以前的回音，高中？大學？都已是數十年前了，就是硬幣落地的回聲，都已成風化的歷史。

當年的輸或贏，回憶塵埃已無法考據。宥達只清楚知覺，目前的自己是正履行這個動作。

沒有推諉、沒有挾持的藉口，裸奔出於他自

己的意識。

第二三柱燈時，回憶繞轉到正開始衝刺的年歲，青年們白天意氣風發跑業務、開展事業，入夜夥眾飲酒放鬆，好不舒暢。

酒酣耳熱之際，酒精細綿滲入神經麻痺了意識，也曾列舉的瘋狂提議：「才幾杯就醉？裸奔個一趟包準清醒啦！」

一回回總有人藉酒渾鬧，但到底有人眞的拋下一切，赤裸向前奔嗎？酒精迷濛意識，扭曲的畫面只被嘔吐物佔滿，那裡會有正解答案。

如今，沒有酒醉、沒有恍惚，他的精神從未如此清晰。

婚宴、孩子初生，興奮至頂時，荒唐的解放感萌生，心臟跳躍近至口鼻，也一度有想奔逃的渴望。

該是幸福喜悅時，又爲何想跑？

摔出口鼻的是他不羈靈魂，一點一滴奔離的是已經模糊不可探的夢想。

跑至中途，前後燈座數來一致，他有種異然渴望，像希臘神話被約束不能回頭的Orpheus禁咒，反而撩動揭破禁忌的慾望。

宥達放慢速度，輕輕的，在步伐間隙，一瞬回眺。

移動狀態的光影讓焦點模糊，他無法輕易定位起程點，卻用臨界的感官，朦朧查見商街後方一個人影，正緩慢逼近。

「竟然有人！」

跑步本會導致微喘，又遭驚嚇，宥達緊緊噎岔了氣。

該害怕？該逃避嗎？要停止這違反社會風俗、道德的異舉嗎？

本是步步踏在雲端飄浮的喜悅腳印，隨後方人影既現時，剎那墜回凡塵。下一步，腳板踏到路道上的震動，變成清楚感知中年人贅肉垂晃的波蕩。

其實，他應該要恐懼！曾經恐懼事業失敗、裁員風波；曾經恐懼妻離子散；曾經恐懼他的人生崩曾經——

一步步，他的生命顛簸漫長路，濃縮在這一小條岷湖街。只差走向最後一著棋，決意要親手以最愉悅方式毀掉，人生。

裸露的，如同剛從母胎降生的嬰孩。他以爲自己的意識能在奔跑中剝離，就算被目擊、舉發，也是甘願。

「如今，只因爲一個人影逼近，就放棄了信念？」宥達問自己。

往昔，他時時刻刻爲公司蓋下的官印，終於審議章蓋給自己的名字：『鄭宥達——資遣』

同樣的自我辯證，在腦海中，反反覆覆來回詢問。

一句問一句答，月光打亮他久未運動浮腫死白的大腿肉，左腳踏過右腳，最終拐了腳。

狠狠跌在第九柱燈與第十柱燈間，店家門前整齊堆砌的高高紙箱，宥達壓破了數個，摔倒的重擊與瓦楞的尖刺，割刮他毫無防備的肌膚。

一時之間，他無法攀起的不只是身體，連意念都一併沉降在骯髒地表的水窪內。一層層解離衰弱與無力，夜風拂過宥達肌膚，他終於感覺寒冷。

後方來人緩慢瑣碎的拖步聲，逐漸挨近。那人走過第五柱燈，第六柱燈，直到宥達跌倒的紙箱堆前，停留。

兩人相覷無語。

遊民，穿著宥達剛剛前幾分鐘拋落的衣物。

宥達要啓齒，卻無話可說。而那名拾衣遊民，將一疊疊破碎的紙箱緩慢拾起，又捎了宥達一眼，竟將較爲平整的紙箱，溫柔蓋覆在宥達裸身上。

萍水相逢，無名的遊民，揀完紙箱套好宥達的衣物，繼續往前行進。直到街尾第十柱燈，紙箱與跛腳拖地聲，畫過寧靜夜，遠遠消失在岷湖街角。

宥達則是擁抱那蓋覆的紙箱被，滑落淚水。

明天，還是得要繼續他的人生呢……

書中書

親吻獅子的男人

是誰教《少年PI的奇幻漂流》中的老虎演戲？
電影幕後動物演員最大功臣、
全世界最知名的全能馴獸師堤利傳奇的故事！

堤利・勒波堤耶◎文

●一輩子的決定

那年我十六歲，四月底的一個晴天，天氣還有點冷，馬賽藍天如常，寒冷西北風颳了三天，把雲都吹走了。我在家裡窮混，老媽看我從屋子這頭走到那頭，一副無所是事的樣子，於是說：「出去走走吧，天氣這麼好，你何不去動物園逛逛？」

她知道我喜歡獅子、老虎，我也的確經常去馬賽動物園看這些大型野獸。

我回她說，動物園都看過幾百遍了。

她把報紙拿給我看，手指頭版一張圖片，鐵籠裡一個長頭髮的牛仔，看起來像一個印地安酋長，站在一頭母獅旁。

「動物園裡有馴獸表演，報上說這人打算開辦一個馴獸師學校。」我媽跟我這樣解釋。

我不以爲然聳聳肩，因爲不想跟她辯，便出門騎腳踏車去動物園。

這大概是我第十次去動物園，純粹爲殺時間，跑去看動物。

我照例去看獅子，一頭大雄獅臥躺在鐵籠角落裡一動也不動；旁邊是一頭孟加拉虎，在鐵籠裡繞圈子。動物園的道路上，一個穿靴子、模樣像馴獸師的傢伙手持擴音器到處廣播：「今天下午三點鐘，歡迎大家來看馴獸師如何訓練動物。來看一頭野生動物如何變成馬戲團裡的藝術家。」

我自認對這些動物熟到不能再熟了，於是選坐在十幾排較後面的位子。全場大約有三十多人。場子裡，有一個直徑約十多公尺的大圓型鐵籠，一邊有一長型通道連接好幾個動物籠子，觀眾可遠遠看見幾頭母獅子、一頭大雄師，稍微隔遠一點，二隻美洲豹。

剛剛那個穿靴子在園內廣播馴獸表演的傢伙先拿起麥可風說些介紹的話：「各位觀眾，等一下上場的動物都還在接受訓練，牠們還要經過幾個月的訓練才能上場在馬戲團裡表演。我將先帶

四頭非洲獅，讓大家看看馴獸師訓練過程。」

他從一個金髮女孩手中接過一條金色的寬皮帶，皮帶上掛一個小袋，在小袋裡裝進小肉塊，然後擦擦手，再去取一條皮鞭和一根棍棒。

金髮女孩打開鐵籠第一道門，馴獸師進入後，自行打開第二道門，踏進去後，細心把門關上，進入大型圓籠裡。

全場沒發出一點聲音，馴獸師背向觀眾，一步一步走向動物。接著，他手上鞭子朝空中一揮，大喊一聲「放出來」。長型通道立刻發出聲響，走出四頭美麗的母獅。

四頭獅子以及兩隻美洲豹的一舉一動，和馴獸師指揮動物的影像完全抓住我所有心神，牠們做的是很平常的基本動作，定位、排金字塔，然而每頭野獸的行進似乎以慢動作的姿態深深刻在我腦海裡。我和籠子之間彷彿沒了距離，感覺自己遊走在籠子裡外，眼前上演著一場活起來的夢。

我整個人像是浮在雲上，又像是受到當頭棒喝的感召。對我而言，身在天堂大概就是這般感受吧。我突然覺悟到，這就是我這輩子想要做的事，我的一生可以這樣和野獸在籠子裡一起過！

表演結束後，我被迫回到現實世界，爲了想延長剛剛經歷的夢境，我一直不想離開座位。觀眾陸續離場，直到最後只剩我一人。我慢慢起身，周圍世界對我仍無法眞實起來，這個夢境影像太強烈，我感覺自己遊走在現實的邊緣，整個人夢遊似的緩緩地走向出口。

走向出口的途中，我一直在思考如何才能將這個夢境轉爲事實，繼續留在「人間天堂」？對了！報上不是寫說馴獸師有意開班授課，於是我轉身朝「天父」走去。

「先生，你好，我看報紙上說，你要開辦馴獸課，我想報名參加。」

他看了我一眼說：「一堂課二十法郎。」

這不是一筆小數目，在當年還高出每日最低工資。

我跟他說謝謝，慢慢走出「人間天堂」。

1966年我和奇拉在馬賽動物園合影；就在幾天前，生平第一次進了馴獸籠。

但我實在捨不得離開，我好想留下來跟他學，不過，要付二十法郎學費實在不可能。我媽一個人養我們四個小孩，雖然有老爸的贍養費、政府的家庭津貼補助，但還是很窘困，我們每個小孩口袋裡能有一、二塊法郎零用錢，就要謝天謝地了。

但我實在不甘心就這樣放棄，於是折回去，決定再討價還價看看：「如果我每星期來三次呢？」

他把我走去走來的動作看在眼裡，回說：

「要算六十法郎。」

「謝謝，那麼，再見了。」

我一面往外走，一面盤算如何籌錢：可以跑去跟爸爸和奶奶要，或許每星期可以要到二十法郎；然後拜託他們把生日、耶誕、復活節、過年等等過節要給我的錢一次提領，這樣我就可以上好幾堂課……

我再次轉身，去找馴獸師。

「如果我每星期來一次呢？」

「一星期只來一次，學不到什麼的。」

說得很絕。我心想，走吧，回家吧。走到出口，打開腳踏車鎖，正準備騎上腳踏車，還沒踏上踏板時，我心中很快閃過一個念頭，無論如何，我跟定了，我一定要說服他。

我很快跳下腳踏車，再度上鎖，跑去找這個叫做吉姆弗瑞的馴獸師。他正和照顧動物的助手講話，看到我已是第四次跑去找他，有點不耐煩先開口說：「喂，你到底要怎樣？」

「先生，我可不可以每天放學後來幫忙，我可以清掃籠子，幫你做所有事，不要錢。星期四、星期六、星期天沒課的時候可以一整天來工作。」我的心怦怦跳，聲音之大，身邊所有人可能都聽得見。

他聽完我的話，或許有點被打動，盯著我說：「我不需要你幫忙。不過，如果你真覺得好玩，就來吧。」他講完後，又繼續跟看照動物的人講話。

我簡直興奮到要炸了，很想大叫，但還是盡

力保持鎮定。他的態度輕描淡寫，可卻讓我看到通往天堂的門扉。

我高高興興地去取腳踏車，周圍沒一個人，一片南部午後靜靜的悠閒。走出動物園的每一步路把我一點一點帶回現實，也一點一點釋放我心中濃厚到快爆開來的感情，我很清楚自己剛剛選擇了新的生命路程。

我跳上腳踏車離開，飛奔在馬賽的路上，心情和飛馳的腳騎車一樣輕快，滿心幸福沿著海岸線騎回家。

吉姆弗瑞准許我到動物園幫忙，第二天放學後我立刻興高采烈地衝去動物園。他竟然一臉狐疑地看著我，我心想完了，他忘了昨天的事。我鼓起勇氣提醒他前一天告訴我可以天天來幫忙，他只「啊」了一聲，就扔過來一把掃把，簡單指示說：「把鐵籠掃乾淨。」

掃把是我跟動物工作第一個認識的工具，我走進空蕩蕩的大圓鐵籠裡打掃，心裡喜孜孜的。我一直記得在表演現場感應到的魔力，呼吸到一股天堂的特殊氣氛，我只是拿著一把掃把在掃地，但是心裡清楚已經一腳踏進來了，一定要卡住這道通往天堂的門，不再讓門關上了。

●第一次進鐵籠

吉姆弗瑞很快接納我，因爲我實在很好用，什麼都願意做，任何人都看得出我十分投入。我負責照顧動物籠子，做一般清掃工作、準備餵食以及在馴獸師訓練動物時，負責開關大圓鐵籠和長型通道間閘門。我像海綿一樣吸收所有眼前看見及發生的事，我觀察一切動作，把所看到、聽

關於作者

堤利・勒波堤耶

從小立志環遊世界，沒想到十六歲時偶然在動物園裡看到老馴獸師的馴獸表演，從此就一頭栽進這個危險又迷人的世界。因為馴獸師的工作，他帶著他的動物從南到北，走遍歐洲、美洲、非洲、亞洲各國，他並訓練動物演員參與包括《少年Pi的奇幻漂流》、《神鬼戰士》等多部電影的演出。目前他和六十多頭動物住在法國西部的風地省（Vendee）。

到、感受到的全部接收記住。

第一次進到大型圓籠直接接近野獸，對我來說有著儀式般的意義，那天是我十七歲生日，吉姆弗瑞決定給我一個驚喜。他事先什麼也沒說，就在他準備進鐵籠帶領四頭母獅表演時，他一下抓住我的手臂，把鞭子遞給我，棍棒塞進我手中，然後把我推到大圓籠前。

那天負責長型通道閘門開關的是布朗蒂，她把四頭母獅放出來，等獅子進大圓鐵籠後，吉姆對我說：「把牠們一一趕到各自定位去。」

我照著平常吸收到的，一一把獅子指揮到定位點，接著按照順序指揮每頭獅子做平日練習的表演。

吉姆弗瑞在門邊一動也不動，也沒再說話。我則像是準備已久，所有動作早在我腦中進行推演好幾遍，一切進行十分順利。獅子聽從我的指揮，做平日執行的表演動作，動物和我都沒犯任何錯誤。一切結束後，我看向吉姆，他沒什麼特別表情，只簡單說了一句話：「很好，把鞭子收好。」我聽了簡直是高興得要飛上天，心中嘻嘻笑了好久。

我一心希望吉姆弗瑞賞識我，在他面前力求表現。是他為我打開進入野獸世界的大門，是他給我機會多認識動物世界，是他帶領我進入人間天堂樂園，對我而言，他的地位像神一樣。但我也很難說他教導過我什麼，他不會像老師一樣上課、解說馴獸原則。我只是在一旁觀察，看他和野獸共處時的舉止態度，如何下命令。而我則像個海綿，吸收記住這一切。

吉姆弗瑞從未給我上過一堂使用鞭子的課，我是一邊看他如何動用鞭子，然後自己學著練。我經常一個人在空蕩蕩的大圓鐵籠裡練習，在短椅上放一枚硬幣，然後試著用鞭子抽動這枚硬幣。我練習朝不同方向連續抽動鞭子，給自己設定目標，比如說縮短抽兩鞭之間的間隔。想像自己身邊有五頭獅子圍繞，我舉鞭揮向第二頭獅子，接著隨即揮向身後的第四頭獅子，我稱這套

練習爲影獅子訓練。

跟吉姆弗瑞亦步亦趨學習的主要是如何照顧動物：如何切割餵食動物的肉塊，如果送來的肉塊油脂太多，餵食前必須先將油脂切掉。我跟著學所有照顧動物的實用法則，一心要成爲他好用的助手。我學得很快，一直想要再學新的，期待可以正式和動物野獸一起進到鐵籠，像個眞正的馴獸師。

在我學會所有管理鐵籠、照顧動物的基本工之後，我提起膽子要求說：「弗瑞先生，是不是可以帶我進鐵籠了。」他只是隨意答說：「好，好，有的是時間。」

在我問了兩次後，他說：「無論如何，你還未成年，必須要有父母的書面許可，要不然是不可能的。」

有了目標之後，我決定加速進行。當天晚上，便跟我媽提出請求，她想也不想就說「不」。她知道我每天放學後、假日都去動物園打掃動物鐵籠，幫忙餵食，但她沒想過我會想要更進一步。要和獅子、老虎一起進籠子，指揮動物練習，對她來說是很危險的一件事。她說：「太危險了，你如果因而受傷，或死在裡面怎麼辦？你還只是個中學生，爲什麼要這麼急？」

我用各種方式試圖讓她明白這眞是我最想做的事，她拗不過，抬出我爸作爲理由：「你要是發生什麼事，你爸會要我負全責的。」我父母當時已離婚。她又說：「如果你爸答應簽書面許可給你，我這邊也簽。」

於是立刻打電話給爸爸，他告訴我基本上不反對，但是離婚法官把孩子撫養權給媽媽，怎麼可能又返回來要爸爸負責。兩人說差不多的話，簡直是退回原點。我被父母推來推去弄得很困擾，只能再去找老媽，她承諾只要爸爸簽署許可，她也願意簽。我只得堅決地再次打電話給爸爸：「爸，你簽名答應，如果媽不願簽，我就放棄，等到我十八歲成年。」

他說好，三天後，我收到爸爸寄來的簽名同

意，我拿給媽看，她頗爲驚訝，但爲了維持承諾只好簽名同意。

我得意無比，把父母兩人的同意書交給弗瑞先生，他仔細看了兩封同意書，露出欣賞神情。他十分肯定我的動機強烈，也或許是看到我這麼高興，不忍潑冷水。但不管如何，我成功地在離婚父母間演好這場戲，實在太得意，並且也讓他們看到我已一頭栽進去，決心要在野獸動物身邊工作。

●菜鳥行大運

我在吉姆弗瑞身邊擔任清理動物籠子工作幾個月後，法國西南部有一座動物園園主意外死亡，他的遺孀決定關閉動物園，送走所有動物，條件是必須全收，包括四十多頭獅子，和一隻約七歲的成豹，成了馬賽動物園的新成員。

動物園主的女兒帶著豹一起來馬賽，她告訴我們，這是一頭相當馴服的豹，簡直像狗一樣，可戴上頸圈牽繩走。但是一頭野獸可馴服到什麼程度，其實很難說。我們把豹放在一個長寬各兩米的籠子裡暫時安置，等候動物園安排。

一天上午，豹在籠子裡來回踱步。我看見吉姆弗瑞和助手瓊恩以及另二名動物園員工在豹的籠子旁討論，我靠近聽他們在討論什麼。原來他們正在彼此交換對這頭豹的個性的看法，所有人都同意這頭豹看起來很平靜，動物園主的女兒也說牠是一頭乖乖豹。看來沒錯，不把牠放出來走動走動，實在可惜。如果可以牽著豹在動物園內逛一圈，一定可以爲動物園做個很大的宣傳，只要吸引記者來報導，一定有上報的機會。

馬賽動物園主任和吉姆弗瑞都喜歡這類宣傳花招。問題來了，誰來爲這頭豹戴上頸圈呢？

大家都說：「一定要有人進籠子，爲牠套上頸圈。」這頭豹不是很乖嗎，應該不會有問題的呀，但是討論了一番卻沒有人敢行動。

「誰自告奮勇要進去？」

四周一片沉默，這時我舉起手說：「我，我

去。」

回想起來，如果我當時不舉手，其實也沒有其他人願意進去，他們根本就是等著我自投羅網。

我那時年紀輕，什麼都不懂，有的只是滿腔對動物的熱愛。拿著他們遞給我的鍊子和彈簧鉤走進籠子，一心只想著要怎樣才能把頸圈套在豹的脖子上。

豹所在的鐵籠子的開口並不大，僅約八十公分高、六十公分寬，唯一進門的方式是爬進去。以專業經驗來說，不論在哪一種野獸面前，放低身子蹲伏是絕對要禁止的動作，因爲容易被襲擊，可是當時現場沒有一人說話或反對，任憑我我蹲下身打開門，手持鍊子準備進鐵籠。

豹不停地來回踱步，我觀察牠的動作非常規律，等牠在我面前繞過好幾圈後，我鼓起勇氣打開門爬進鐵籠；才爬進一半，豹就朝我走來，想從我打開的門出去。這時，我可選擇迅速退出去，然後把門關上，但我選擇了另一個方案，我舉起沒拿東西的右手擋住豹的頭，輕輕地，但態度堅決，不讓牠出去。

牠先是試圖再往前走，一會兒決定放棄，向左轉身繼續兜圈子踱步。在牠退開後，我很快進到籠子裡，站起來貼在籠子邊上。我正在做一件愚蠢而且非常危險的事，這時我才醒悟到自己運氣很好。而幾個大人只是在鐵籠外安靜地看著這一切。

豹持續在鐵籠裡兜圈子，看也不看我一眼，經過我跟前時，甚至碰到我的腿，我屏住呼吸不敢動。對任一頭野獸來說，在這小小的四平方公尺空間裡，牠可以任意把我撕成碎片。我們互相不認識，而牠又剛到一個新的地方，不免充滿擔憂，如同人一樣，更何況我在此時又侵入牠的空間。

在牠經過我面前第三次時，我傾向前，把鍊子穿過豹的脖子。牠並沒有放慢腳步。我試著把彈簧鉤扣起來，牠搖了搖頭，嘴唇動了一下，我只好隨牠繼續往前走、繞圈。我很清楚不能惹牠

生氣，只能一點一點加動作，試著把頸圈套好。牠有超過一個月時間沒有戴頸圈了。

牠每次走過我面前，我就試著把鍊子套掛在牠脖子上，每次多使一點力阻撓牠前進的步伐。我背上汗水直流，襯衫一片汗濕，同時也感受到每一次在牠經過時，可拉住牠的時間似乎一點一點增長。到牠第九次繞圈時，因爲我拉住牠的力氣又多了一些，奇蹟出現了！這頭豹從頭到尾沒直眼看我，這時竟然停下腳，在我腳邊坐臥下來。我看牠沒有動的意思，動手在牠脖子上扣住鍊子成頸圈，不過，扣得有點鬆。在我扣住彈簧勾後，牠又很快站起身，重新繞圈踱步。牠脖子上的鍊圈實在太鬆，有可能動作大一點就會被搖掉下來。當牠再度踱步到我眼前時，我拉住鍊子，牠又再次坐臥下來。我的手指有點顫抖，但我還是試圖把彈簧勾扣得緊一點，在豹的脖子上做個頸圈。

我壓根忘了鐵籠外有四個人盯著我看，瓊恩突然叫我：「把鍊子傳給我。」我從鐵籠間隙把鍊子一頭遞出去。他跟我說：「等牠走到籠子另一頭，我會拉住牠，你趁那時趕快出來。」

出籠子同樣要低身爬出去，我有兩個選擇：倒退走或是背對著豹爬出去。而牠一定會像我進籠時一樣，會想跑出去。

當豹繞到鐵籠門另一頭時，我俯身準備。有人幫我打開門，我朝後看豹，看牠坐臥在籠子另一頭，而瓊恩手中握住鍊子拉住牠。我很快退出籠子，就在我的頭剛探出籠子，豹突然往前朝我跳過來。瓊恩因爲嚇了一跳，沒有好好拉住牠。就在那一瞬間我很快往外滑出去，一直到現在，我都還記得那頭豹兩排牙齒落空的喀拉咬合聲響。這時鍊子另一頭，有兩人很快拉住豹，把牠往後拉；等我出去了，吉姆弗瑞趕緊關上鐵籠。

●少年Pi的奇幻漂流

幾年前有人向我提議合作拍攝暢銷書《少年Pi的奇幻漂流》，法國導演惹內（Jean Pierre Jeunet）曾和我聯繫，提到這個故事。他寄書給

我，我讀完後很喜歡，但是這個計畫後來卻沒有下文。幾年過去後，另一家電影公司福斯二十世紀和我聯繫談拍攝這部影片，導演人選確定是李安。製片伍馬克（David Woomak）與李安一起來法國看我。

伍馬克、李安在另二人陪同下出現在法國風地（Vendee），我和動物住的小村莊。我帶客人參觀我養的野獸動物，介紹李安看我所有的二十二隻老虎，我猜想他會選擇最漂亮的一隻，但卻默默希望預感不要成眞，因爲他也是個性最不好的。

李安在看過所有老虎後，走近King的籠子，指著牠問：「這隻呢，有可能帶他拍這部片嗎？」我其實希望導演可以挑其他個性較適合拍電影的老虎，不過，李安很清楚地表示就是要King，這表示我們的工作將會比較艱難。

King是一頭很漂亮的孟加拉虎，個性很強，聰明，幾乎從不害怕。但似乎還一直在思索和我的關係，到底要服從、或作對，或乾脆把我幹掉。我和他的關係持續處在緊張狀況，必須不斷給他壓力，讓他放棄攻擊我的念頭。因此，跟King工作困難度較大，而且很累人。

我另外帶李安去看我養的土狼，這時已大致可猜到李安會做的選擇。我的首選Vlad，比其他土狼表情豐富，可輕易發出不一樣的叫聲。當李安靠近籠子時，我叫一聲Vlad，牠跑過來一面張嘴露牙似笑。我看李安微笑著，心裡有底我的盤算成功了。Vlad被選上參加拍片。

挑選完動物演員後，三個美國人表示必須去安排旅行後段行程，李安則希望留下和我單獨在一起。我和這個未來要一起工作、第一次碰面的導演開始聊起來。

他問我：「你爲什麼選擇這個行業？爲什麼選擇和野獸一起工作？」

我盡量解釋，把所有想到可說的盡量講完整，爲何一輩子都投入訓練動物，做一些對牠們來說大致無用的事，牠們也不問我什麼。

李安充滿興趣與好奇。我從入行開始講起，

試圖讓他瞭解我和野獸在一起的感受，我和動物溝通，不論是爲什麼目的，當我感受到達成交流時會因而非常感動。李安似乎很能感同身受，他對我說：「我明白。你選擇做馴獸師，與我想做電影的理由相同。」這眞是一個完美的結論。

我先到台灣做場地探勘，決定片中使用運載老虎的船的大小，使用布料的材質等等條件，以及動物抵達時需設置的隔離空間。

在動物隔離期間，最好能同時讓動物進行訓練，讓牠們在法令規定的隔離時間結束後，可立刻到拍攝片場工作。片場水池約有八十公尺長，四十公尺寬，深約三公尺；四周設立高約十二公尺的藍色螢幕。水池旁有製作浪潮的機器，加上波音七四七起飛時的噪音，可在水池內製造暴風雨效果。

回到法國後，我特別打造一個船型模型，如同拍攝現場的一樣，開始在船模型上訓練土狼，以及泰米司Themis和明Minh兩隻老虎。莫妮卡和卡蓮兩名助手陪同我去台灣拍片，我們一共帶三隻老虎及三隻土狼。

在台灣拍攝期間，片中一重要場景無法以合成影像替代。老虎必須自船上躍入海中，然後向前游泳二十多公尺，整段過程在水上及水下都有攝影機要拍攝老虎的動作。老虎跳進海裡游泳的姿態必須出於自願，要讓觀眾感覺彷彿老虎看到海中有一條大魚，想下海去追這條魚。原本我們以爲可有三星期，帶著老虎在水池和船道具上練習。不過，由於技術問題，片場拍攝時間延遲，我們只剩三個下午時間可練習。

我讓三隻老虎流輪在水池浮船上練習，最困難的動作是要老虎跳進水中。我設計的練習是把船拉離水池數公尺，然後叫船上的泰米司下船走回自己習慣的鐵籠，因此特地將他的籠子擺放在水池邊上。他一開始有點害怕，盡力跳得遠遠的一心要避開水。先是約兩公尺距離，讓他很快便抵達岸邊。老虎明的表現也一樣。就是李安最喜

歡的King不斷抗拒，非常不願意跳進水裡。

隔天，我再將船拉離岸邊遠一些，要求老虎做同樣動作。由於老虎們已經知道會發生什麼事，表現出很不願意進水，情況變得較困難，我必須堅持要求，要練到牠們能跳進水中，最後牠們也都一一聽從。三個下午，每天把船拉離岸邊遠些，要求老虎需游泳五到六公尺才能抵達岸邊。距離看起來雖然不遠，已足夠使牠們在搖擺的船上顯得很不安。對牠們來說，目的地在藍色底色前顯得很遙遠。

拍攝當天，不出我所料，李安要求由King擔任跳水和游水的動作。King起先表現出不願妥協，我們雙方僵持了好一會兒，牠最後還是照做，跳水並游了十多公尺。

接下來的動作要游約三十公尺，仍然由King擔任動物演員。

既然自船上跳水的動作已拍攝，就不需要再使用到船。我決定把King的籠子放在一個浮動平台上，然後一步一步拉遠與水池岸邊的距離。可先從十五公尺開始練習，然後是二十公尺，二十五公尺，最後拉長到三十公尺。如此一來，我可確定King就算眼睛沉到水面下看不到岸邊，仍應可找到要抵達的目的點。

事實上，這塊面積廣達三千平方公尺的龐大水池圍繞著十二米高的藍色底層牆，很容易令人失去方向感。由於水池建造時間拖延很久，劇組拍攝工作必須盡力追趕已落後的時間，爲了趕時間，我們必須立即從三十公尺開始。動物根本沒有時間練習，我想過要拒絕，但後來一轉念，King可能做得到。King剛剛從船上跳下後毫不遲疑地往岸邊游去，我心想，平台高度跟船相比，對他來說應是簡單多了。

在客觀條件壓力下，我們決定放手一搏。浮動平台運載著籠子裡的King，拉離岸邊約三十公尺遠。岸邊放置一段傾斜的平台，讓老虎可步出水中。

燈光、攝影機，劇組就緒後，我打開King的

籠子，在莫妮卡的協助下把他推到籠子外。不過，King選擇在籠子邊上僅二十公分寬的平台邊上踱步。莫妮卡和我要求King並推他下水，可是不巧地，他是背部落水。他沿著平台邊上划水試圖重新站上平台，我推拒他不准上來。卡蓮這時在岸邊呼喚King，吸引他注意朝正確方向看過去。我在平台上使用長柄叉工具試圖指引、並推他朝應該前進的方向。他試著游出水池，但由於沒有選對方向，撞上水池邊，一直沒法找到平台踏板出水。

大約一分鐘過後，我看King開始累了，他畢竟是老虎，不是海豚。

我將浮動平台拉靠近他，他看到我後又向我游過來，在游到離我三公尺距離時，我看到他的眼睛，這是我一次看到他的眼中有恐懼，或說絕望。他因找不到出口很恐慌，在這龐大泳池中撞上邊又出不去，他開始顯露出疲累，牠一隻腳抓住平台邊上的繩索，但實在累到無法躍上來。我看著他的雙眼，看到他帶著信任及哀求的眼神，簡直要心絞痛。他僅眼睛和鼻子浮在水面上，眼神中充滿了自己快不行了就要放手、任水沖走的絕望。有幾次，他整個頭沉入水中一或兩秒，還好一隻腳一直掛在平台邊上繩索，讓他又再度浮出水面。

我大叫：「拿繩子來！」

一個美國幫手史萊德把他不離身的套繩丟給我，我很快把套圈套在King脖子上，他的眼睛從沒離開過我，我把他拉出水面。史萊德也扔給莫妮卡一條繩索，然後將他的機動船駛近，領我們向出口方向滑去。

King任由我們拉他，在靠近出口時，King認出出口後自行游過去。我放掉套圈，King找到傾斜的平台踏板終於走出水池，回到自己的籠中重獲安全。

我永遠難忘記King幾乎要放棄的眼神，那不只是動物的眼神，實在是每個知道或相信自己即將死亡的人的眼神。

這是我與動物一起生活這麼多年來，唯一一

次看到野獸流露出這樣的眼神。他的眼神不僅只是傳達快要淹死，還射出被拋棄，棄置不顧的埋怨，因爲牠是這麼期待於我，自始至終地相信我。

經歷這次事件後，King倒是從沒改變，對我的態度維持跟以前一樣。但我一直印象深刻，或許我從中也看到自己的恐懼吧。

●找到和動物溝通的語言

從一開始與吉姆弗瑞工作時，我就覺得自己有一種能力，可以理解我面前動物的腦袋裡在想什麼。當然那只是一種直覺，而且我認爲每個人在某個時刻都能與自己熟悉的動物，不論是狗或貓，有心靈相通的感受。

不過之所以爲動物園鐵籠裡的野獸所吸引，一部分理由也是永遠不明白牠們在想什麼？在美麗、充滿力量的外貌底下，野獸是十分有危險性，但又有一種迷惑人的神秘感。看看貓吧，在貓的眼睛裡有種神秘是狗所沒有的。對於最親近的貓，你可以說出自己懂多少嗎？我認爲一頭獸是一面鏡子，投射出我們自己的想法。有時感覺在牠們眼神裡看到什麼東西，那經常是我們自己想要見到的。

少年時代在吉姆弗瑞的馴獸中心看管籠子時從不感覺疑惑，可以天天和獅子、豹在一塊兒，我想要的都在這個動物世界裡。我不刻意去分析所見，不去爲動物的行爲找解釋源頭，而是打開白紙一樣的心靈接受所有。我沒刻意想要怎麼做或做什麼，一切順其自然，順著周圍事物運轉的方式，因爲我在裡面非常快樂。當一個人徹頭徹尾快樂時，不會問任何問題，只希望一切可以就這麼延續下去。我只想好好留在這個快樂的世界，說不上確切的理由，老實說也不想去問到底爲什麼。

事實上，我每天做的事就是掃地，切割要餵食動物的肉塊，清掃鐵籠，觀看動物在鐵籠的行動姿態、或表演場上的行動，自然記錄所有圍繞

在我身邊的訊息，整個人的心神不斷滲入所有最微細的觀察和感受。我的腦累積接收數以千計的小訊號，把周圍動物的行為舉動一一紀錄下來。我無意識地在大腦中塞滿這些訊息，經年累月累積下來的大量訊號已經成為一套系統，所以當我看到不合這套系統原則的舉動便會立刻有警覺。

好幾次，我盯住一頭獸看，心底想，牠等一下會坐臥下來，或者牠會轉向左邊、牠會張口吼一下，我經常猜對！如果動物沒按照我猜測的方向行動，我會記下整個過程，然後再累積觀察，一直到我找出牠的意向動態。所有學習過程就是觀察和懂得用減法刪減不必要的資訊，讓我可以當下判斷。

當我在一旁看吉姆弗瑞馴獸時，我可以提前好幾秒正確猜到動物的下一步反應，牠們會馬上服從、還是猶豫一番、或是會表示抗拒，依動物當天心情對馴獸師抗議一次或二次，也看馴獸師的態度。

我很早就體會所謂的馴獸技術不是那麼絕對，去理解、感知動物腦袋裡在想什麼才是最重要。我不能硬和動物作對，我用自己的辦法馴獸，結果非常適合我。我體會到應由人來創造和動物的共通語言，我沒法說老虎的語言，老虎也不說人話，我要找到一種語言，教牠溝通的方式，給牠這個溝通的語言。我必須知道牠如何運作，如何思考，才能操縱老虎。

也許有人覺得抽象，只是我認為不能以人類的思考方式出發，而要不斷質疑挑戰自己的想法，試著用老虎的角色思考。要去瞭解老虎腦袋裡到底在想些什麼。這不是魔術，當然有時表現出來的結果會有點像魔術。

一隻老虎不能給你打老虎訊號，是我要去讀出這些訊號，然後教牠更多溝通的訊號，給牠可瞭解的命令，才能獲得回應。在動物面前，必須維持「主導者」的地位，儘管這個詞不會令人舒服。

一頭野獸會對牠認定是主導者的另一頭野獸

獸讓步，這是大自然法則，不會讓牠感覺掃興、不悅或羞辱。如果不認爲眼前的另一頭獸是主導者，牠可決定向前戰鬥。因此馴獸師必須營造自己一個主導者地位，並和野獸動物找到共同語言。牠認同我是主導者後，會願意服從，試著明白我要牠做什麼。在這情況下，一切對牠來說是清楚容易的，當然這一切並不總是單純按規矩來。

動物本身的性格、加上環境因素決定牠的馴獸是否容易，適合每頭獸的方式不盡相同，每一場馴獸現場也不會一樣，危險程度也各自不同。馴獸師不停去觀看動物的行爲，要因應動物和周圍條件調整工作方式。

簡單來說，我必須知道動物在想什麼，預測到牠要做什麼，及牠的行動結果是否達到我的需求。可說是以父權心理去操弄整套過程，但絲毫不帶負面意思。

有些動物可讓人一下子就看穿，知道牠腦袋裡在想什麼，一時間會讓人以爲一切都很容易，你很快看懂，並感覺和牠有交流，不費力就明白牠的思想，和牠的關係很完整，完全可以預知牠的反應，馴獸成爲一個很愉快的工作，你也忘了潛在危險。有時可能因爲想跟牠靠近，靠得太近，動物突然的舉動會提醒你不得不留意危險性。

雖然如此，每個馴獸師還是都會有偏愛的動物，跟牠們講話時特別帶感情，一起做比較多的活動，刻印在馴獸師生涯中成爲特殊記憶。當馴獸師談起曾有的喜愛的動物，如果有人中途插進對話，不知道他在講誰，很可能會以爲他講的是一個已離世的家人。事實上，對馴獸師來說，他喜愛的動物眞的像他家人。

所有和我長期在不同環境下一起工作的野獸，我都一一記得，牠們是我人生的一部分，都是我的家人。有些像是工作上的老同事，我會像想起老伙伴一樣唸著牠們。

（摘自平安文化《親吻獅子的男人》）

（上・下）1984年，我和達牧一世合影，於羅尼叢林（Rosny sous bois）的一座高爾夫球場。

1989年，我和女兒卡蓮以及新生的獅子、老虎寶寶在家中合影。

第一代的King（不是《少年PI》那頭），在廣告拍攝現場。

如果愛是你你我我虛榮的攀比
五根手指大可以玩個風趣
粉飾得珠光寶氣 伸縮自如 工於心計
像在下一盤人生的五子棋

人們都在慾望面前不能自已
愛情因此戴上最迷人的面具
愛是種信仰 不是場鬧劇
若非真心實意很難堅持到底

別輕易説愛 愛是個生字
任何一種愛都是完美的天敵
空洞的愛太沉寂
細膩的愛消耗氧氣
轟轟烈烈像在走旋梯
淺嘗輒止錯過了真諦
愛是個生字 參不透是悲劇還是喜劇
愛飄忽不定 遇見唯有用心珍惜

愛是個生字

孤鴻

如果愛是分分合合無聊的遊戲
時針分針秒針就足以演繹
詮釋著匆匆相聚 輕言分離 和三角戀
又何必勞苦廣大血肉之軀

我們都曾為了對方意亂情迷
在內心卻認為自己高貴無比
愛是條險路 需要向心力
否則昂首的人轉瞬跌落谷底

你懂得愛嗎 愛是個生字
很多人都難免陷進某個誤區
強勢的愛有壓力
退讓的愛少了領地
單方付出自私像刑具
乞討施捨只苦了自己
愛是個生字 分不清是褒義還是貶義
愛無法無天 所以我們常常碰壁

海上風華

南外灘傳奇

到南外灘照相窺探的不少，老外跟本地都有，
藝術家氣質或商業攝影的，都趕來搶拍董家渡之末……

林郁庭◎文

老碼頭附近的景觀。

識得南外灘，是到南浦大橋「輕紡面料市場」挑料子做衣服，不住幻想傳說中的上海裁縫手藝。原來的市場位在百年歷史的董家渡，世博前「陽光動遷」，拆了充作臨時停車場，商家大多遷到這棟商業大樓裡。卻說世博都看浦東，隔江那邊鬧熱滾滾，浦西場館同這偌大的駐車所相依相伴，冷冷清清。

出了小南門地鐵站，沿著王家碼頭路往黃浦江走一小段，心裡納悶著——世博過了好幾年，若說當時急著動拆，盛會前趕緊搞出門面體面，到現在也整理得差不多唄，怎還是這般風塵僕僕？看那頭人氣似乎旺一些，於是穿窄巷拐過去看。那時我還不明白，董家渡這塊上海舊區最大的動遷改造計畫，並不是世博前就塵埃落定：有的地塊十多年來才打了兩個樁基，甚至有拆遷尙未啓動者。

以渡口爲名的董家渡，鄰近碼頭貨運繁盛，扼住上海老城廂通往黃浦江要口，在拆老城塡河浜造路之前，昔日老城廂護城河（今中華路）、浦江支流薛家浜、肇家浜上，橋影處處，擺渡風光——隨著河浜塡平，一座座橋跟著去了，外倉橋、小石橋、外郎家橋、里倉橋（今篾竹路）的形影，還留在因之命名的那幾條路上，氤氤氳氳進入上海的記憶裡。昔時自城廂北望，望進租界的十里洋場，莫不是好漢梟雄冀望飛黃騰達的地方；南市是華界，穀物、瓜果、海產、南北貨往來頻繁，貨倉與幫會林立，野心勃勃的未來大亨便先於此窩著。號爲「上海皇帝」的杜月笙，發跡這廂十六鋪的水果碼頭；蔣介石崛起前，也曾寄居王家嘴角街的弄堂，那時他是一九二〇年成立的上海物品證券交易所小股東，之後爆發「信交危機」身陷險境，說是靠黃金榮的面子才擺平。

走到外倉橋路口，朝那人貨絡繹不絕的商市探首，腳步不自禁往裡踏去。巷弄裡滿坑滿谷

的布匹成衣堆出騎樓，延伸至道路兩側，狹隘處逼得不及迴身；驀地寬廣了，卻是遍地磚瓦，斷壁殘垣——如果報章雜誌上看到這樣的畫面，抽離特定的時空背景，說是二戰之後的歷史鏡頭，我也能相信的。轟炸過後夷爲平地的房舍殘骸，毫無生機的瓦礫墓穴裡，仍有居民卑微殘喘地度日子……戰事之無情與草根的堅韌，不就是如此嗎？

無意之中，我闖進以爲已經消失的董家渡面料市場。拆掉的部分絕非空蕩蕩，還有人在上頭生活、做生意，一匹匹鮮麗嵌繡金銀線的旗袍布，篷布襯了擱在只剩一半的牆垣上；地上紙板墊的，是顏色長短不一的拉鍊，大大小小各式鈕釦；日頭大，也有撐了海灘傘，涼椅上鋪了紗棉、單色或格紋床單布；電線桿可沒閒著，正好拿來曬衣服、掛窗簾；遠處浦東摩天樓的影子，越過這壁煙塵望去，宛如殘磚裡升起的海市蜃樓。路上還有幾十戶，有的拆字已經烙上去，也有「強拆民宅……」字眼被塗抹得不乾不淨的，還有二樓窗台端了茶碗冷眼看下來，一樓舖子口懸了個鳥籠，那啁啾越發悅耳，後邊灶頭埋飯的香味兒，一股腦竄了出來。

來照相窺探的不少，老外跟本地都有，藝術家氣質或商業攝影的，昂貴鏡頭或傻瓜相機，外地趕來搶拍董家渡之末，或者住民搬走前的臨別秋波，咔嚓咔嚓響個不停。最引人矚目，無非廢墟與生機對立之景，殘餘的建築雕花細部，穿梭變動家園哀哀叫的小狗，僅存弄堂孤巷裡依舊熙攘的人生。流言無可厚非要在里弄間流傳，說有老太婆誓死不搬，拆遷時二樓掉下來送醫，不死也傷。也有說被打被威脅的，也有太單純，早早就被一點小錢遣散。硬撐著不走，釘子戶不好當，沒電沒水的，環境衛生惡劣。真的，不是大家都死要錢，有後路誰不走？老人家住了一輩子，去哪兒都方便，你要他們搬

到嘉定、浦東航頭那大老遠，怎麼肯呢？都說日子不多，寧可死在這兒。年輕人反正情感淡泊，小倆口看了動遷房新樓板，衛生條件、空氣品質都比老城好，倒願意，搬過去老鄰居老街坊的，滿清爽，過兩年地鐵、新學校蓋好了，郊區倒比城區好住，進城也快。欸，我們這兒差不多了，旁邊的地塊才麻煩，二〇〇二年到現在都動不了，還不是開發商想囤地轉手？看看外灘這幾年地皮漲了多少倍，轉手就幾十億，給居民的還是〇二年標準的補償金，這錢在上海沒法活，教人怎麼搬？要脫售，別家財團知道這兒僵著，成本愈來愈高，開價還這麼狠，縮手一邊看，沒人是笨蛋。你說是他們還是我們獅子大開口？給居民的要在周邊能買房，大家都肯走，自己稍微貼一點也願意，是吧？

董家渡路繼續走下去，愈加淡定，還沒拆完的，也都搬光了。濱江北行，瞧著黃浦江在這兒轉了彎，岸邊鑲了一排倉庫，宛如鼓突之腹積了一層肥油；昔日上海水上門戶的十六鋪，在這一波舊區改造計畫化身爲老碼頭，曾經屬於黃金榮、杜月笙的倉庫，現在是挺潮流的餐吧會所，歐風家具櫥櫃。這區的歷史可上溯至北宋天聖元年（一〇二三年），始稱「十六鋪」約在清咸豐、同治年間，以其地理優勢而成內河沿海、南北水陸運輸交匯樞紐，鼎盛時期「帆檣如織，舳艫蔽江，裝卸上下，晝夜不息」，王家、竹行、公義、利川等大小碼頭並立，以裝載貨物分門別類，則有水果碼頭、煤炭碼頭、水產碼頭、垃圾碼頭等稱號。由鹹瓜街（鹹魚）、豬作弄、糖坊弄、花衣街、豆市街、筷竹弄、蘆蓆街這般市井而鮮活的地名，可知老城廂窄仄曲折的街市裡百業興旺：福建、浙江商人帶來鹹魚海味，廣東人以糖、茶葉去交易棉花；再過去還有編蘆蓆、製竹筷的作坊；街角屠戶潑出血水，叫賣現殺的鮮豬肉；

後頭染坊煮得一缸缸五色紛陳，晾起來一匹匹鮮麗奪目；那頭教婦女們流連忘返，是棉布花衣綢緞布莊；黃豆如潮水湧進湧出的豆市街，釀造醬坊成片，天氣好，工人打開醬缸帽蓋，整條街瞬時溢滿醬油發酵引人欲醉的濃香。

有利可圖自然有人來分，往來商賈農工要不受騷擾，不是依附幫會就得獻上厚禮；動蕩的時局和華洋分治的矛盾，造就黃金榮和杜月笙稱霸上海。租界和南市邊兒討生活的小癟三「麻皮金榮」，在青幫地位扶搖直上，進了法租界巡捕房當差，協助辦案「維持治安」，跟統治上海各派系軍閥亦關係良好，很快成爲上海首屈一指的黑幫老大；在十六鋪水果行當學徒，卻因嗜賭被趕出來，碼頭、煙館、茶樓賣果子削果皮的杜月笙，因緣際會入了黃金榮公館，成了得力助手，爲人機敏靈活的杜氏，很快羽翼豐厚，勢力還在黃氏之上。講體面、情面、場面的杜月笙，發跡之後竭力籠絡人心，與政商各界交好，意欲擠入上流之林，儘管抗戰時期於重慶方面貢獻良多，勝利後卻無法覓得官職，他意識到國民政府不再需要他們，而租界消失市政統一的上海，亦不再提供黑幫生存壯大的沃土。

「我們只是『夜壺』——被利用完了還要塞回床底。」他這麼說。晚年在香港，中共頻頻招手，要他回上海，杜月笙不是

豬作弄這般鮮活的地名，老城街市裡百業興旺。

正在消失的董家渡面料市場。

沒有動搖，後來看到老態龍鍾的黃金榮寫悔過書、在大世界門口執箕帚，慶幸沒去，蔣介石要他來台，亦不了了之。他死後移靈台灣，葬在汐止，遙望浦東的故鄉。

杜月笙要能看到現在的十六鋪，瞧見他倉庫邊運來黃沙堆起「陽光沙灘」，洋人男女買票進場，赤身露體瞇著眼曬，入口椰林白沙碧海晴天的看板旁，本地人睜了眼看，一頭指指點點評斷。馬路另一邊從前的上海油脂廠，搖身變爲噴水池廣場，中間過道可以走秀，兩旁石庫門別處搬來的，倒是搭得好佈景。說得是「食色聲香，純粹上海」，燈紅酒綠間微開雙腿的Sexy Peach Club，文創包裝的紙醉金迷，跟黑幫時代煙賭娼的營生，兩樣了嗎？

後頭一大片濱江華廈已經浮出地表，那同樣是董家渡老區的地塊，這邊的建商們或許手氣手腕較佳，進展順利，幾年前就開盤預售了。看那態勢多是外國外地投資客，說英語說普通話的貴人，拆遷前住這兒的本地人，八成四散到郊野去了吧。在市中心聽到上海話的機會，要愈來愈少了。

坐火車的美好回憶

鍾佩娟◎文

台東火車的車廂總是有那麼一點懷舊復古，可以引發無盡的幽思，讓我想起我剛來台東時坐火車的美好回憶。那一天，我也是像今天這樣，正準備坐火車回高雄，買到五點半的火車票是無座票，不過很幸運地，我上車時找到一個空位，可以讓我拿起心愛的便當來塡飽肚子，雖然吃得狼吞虎嚥，但是卻也因爲僥倖得到位子而感到心安。

正當我在優雅咀嚼時，滿車站立的人，有一個老頭兒總盯著我看，面貌慈祥神情自若，還好體態並不乾瘦，不然當下還眞的有那麼一點惻隱之心。他的眼神不會讓我難受，反而有點像在觀察我，亦或探索那個便當是否有値得發掘的可能性。不過，答案馬上就要揭曉。

當我吃飽喝足就差沒準備要剔牙時，他緩步走來：

「小姐，這是我的位子。」手裡還拿著車票證明。

我當場從椅子上跳了起來，直說抱歉，再說感謝，並且迅速離開……

他只有靦腆的微笑，沒有再說什麼。

如今他的容顏我早已不記得，有的只有在這樣的夜晚，想著那樣美好的往事。

讓你的吉光片羽，在此棲息……

圖片提供©iStockphoto.com

別去
打擾他的心（上）

愛情，
它不是一則選擇題，因為它從不給人選擇的餘地；
它也不是一道是非題，因為它根本沒道理，又何來對錯？

曾程◎文

【創作之路】

「為愛痴狂」也是一種另類的浪漫

這是一個關於「執著」的故事，只是好像……每段牽扯不清的「愛情」都在這兩個字上打轉。

當初只是想寫一個顛覆「好傻、好天眞」傳統形象的女主角，後來發現這種顛覆似乎與眞實更接近，我筆下的心機終究有跡可循。每個人的愛情多少都帶著些許的瘋狂。有些人將這種瘋狂壓抑得很好，藏在心中，最後被啃蝕殆盡的只有自己的靈魂。有些人卻被這種瘋狂駕馭，傾巢而出，即使玉石俱焚、遍體鱗傷仍不善罷甘休。

這個故事的目的不是鼓勵任何人爲了愛情不擇手段，我相信宿命，相信眞正的緣分是爭取不來的，但是我也知道愛情有時又讓人別無選擇。

我們往往不能選擇自己愛上的人，所以總是愛錯人，愛上心有所屬的人，愛上心裡沒有你的人，甚至是愛上無心的人。如果可以走開，早就走開了，又怎會在一個人的身上費盡心思？

所以執著。

偏偏有種愛情讓人難忘，所以一碰上就是一輩子的事，縱使不見蹤影了，還是在心中留下抹不掉的痕跡。如果可以放下，最終便不會化作成傷，又豈會讓那種痛隨著呼吸跳動？

所以執著啊。

Scott Fitzgerald在二〇年代就寫了《The Great Gatsby》，關於一個男人等待一個女人一輩子的故事，籌備了一場又一場的虛華派對，只爲了見上她一面，爲了那個停留在他心頭的初戀影子。

這是一種浪漫，或許也是一種可悲吧。

《別去打擾他的心》也是個這樣的故事。帶著些許的美麗，其實隱藏著很多很多的哀愁。

在部落格寫下這個小說的時候，只是單純地想要創作幾篇從女孩轉化成女人的愛情故事，所以我以「套房出租」這個系列作爲背景，分別寫下了三個將近三十歲的女人搬進去這個房子裡的故事。蔚藍是最後一個出現的女房客，卻是最先成形的角色。

其實，從我剛開始在網路上創作時，就想寫一個爲愛痴狂的故事，但是我需要一個很勇敢的角色，他可以是個男人也可以是個女人。如果要吸引廣大的女性讀者，這種痴狂最好出現在男主角身上，那就可以輕易被解讀成如Gatsby一般的浪漫……只是男人在情感這件事上似乎很難勇敢。

於是蔚藍出現了，一個爲情執著到連尊嚴都不要的女人。也許看完了這個故事，你會厭惡起這個主角，厭惡她以愛情的名義傷害了所有人，包含了她自己。也許在你的生命中，曾經出現過這麼樣的一個人剝奪了你的幸福，讓你連帶地將怨恨轉嫁到這個角色身上。也許你在某個篇幅或某句話當中看到了自己，慶幸這個世界上不是只有你一人愛得義無反顧，原來這種瘋狂誰都有。

不論是討厭她或喜歡她，我都希望這會是個可以引起你共鳴的故事。

創作至今，蔚藍是我最喜歡的一個角色，我愛她宛如愛自己，她其實是自我身上割捨出來的一部分，就和每個故事裡的每個角色一樣。只是她的執著最令我著迷。所以我很開心以蔚藍的面貌和你們見上第一面。請多指教。

·關·於·作·者·

曾程，其實不怎麼真誠。
迷戀文字，熱愛電影，相信宿命。
曾在PChome新聞台「life is bloody BAD」以「歹命」的筆名發表過八部長篇小說和數篇短篇。
寫作……
應該只是人生的一部分吧，畢竟沒有什麼可以成為一個人的全部。

楔子

我是一名愛情小說家。我寫愛情，各式各樣的愛情。

身為一個寫愛情的人，我對愛情從不抱有任何幻想，一點都沒有。我太明白了，愛情是世界上最現實的事，現實得讓存有幻想的人傷痕累累，現實得讓不作夢的人失去堅持的理由。

若將人生的每個過程都當作一場考驗的話，無疑的，愛情是最簡單的習題。它不是一則選擇題，因為它從不給人選擇的餘地；它也不是一道是非題，因為它根本沒道理，又何來對錯？

愛情總是讓人匪夷所思、筋疲力盡、跌跌撞撞、愛了又痛、痛了又愛……正當我們不斷責怪這場艱辛的考驗時，其實我們已經懂了。愛情根本不難，它甚至簡單得只有兩個答案——愛或不愛。

嚴格說起來，我連作家都稱不上。我只是一個說故事的人，一個說別人的故事，也說自己的故事的人。

要說別人的故事很容易，只要將聽到的「現實」美化成一場夢就好。但是要說自己的故事卻很難，因為這個「現實」已經是我的一部分，它……深刻且真實得讓我連美化的空間都沒有。

如果你想要聽的是「王子與公主過著幸福快樂的日子」的童話，那很抱歉，這個故事恐怕要讓你失望了。在現實生活中，楚楚可憐的公主是得不到幸福的，只有城府深沉的壞皇后才能予取予求。

如果你期待的是一部「你愛我我愛你」的純愛故事的話，不好意思，這個故事也與此扯不上邊。在現實生活中，「純」愛壓根不存在，誰的愛情不帶點算計、不帶點可惡的心機？承認吧，這個世界上沒有不帶雜質的感情。

如果你一直都對於「緣分」、「紅線」、「牽絆」這種美麗字眼存有希冀的話，那我建議

你就此打住，因爲聽完這個故事，你所有的夢都會一個一個被粉碎。對不起，這就是現實，醜陋的現實。

所以若你已經準備好聽一場變質愛情的演化過程，那我就要開始說故事了——

這個關於我的愛情故事。

1、喜歡

她喜歡他。

蔚藍很喜歡這個大她一屆的辛兆群學長。

當所有男生都忙著對她這個系花獻殷勤時，只有辛兆群對她不理不睬。或許就是這樣，她開始注意到這個沉默的大男孩。不過，這還不足以構成她喜歡他的理由。

她很確定，辛兆群壓根沒有將心思放在她的身上，一點都沒有。因爲一直到開學的三個月後，他才不甘不願地帶著一杯珍珠奶茶來認領她這個直屬學妹。對了，忘了提，那杯珍奶還是他自己喝的，完全沒有她的分。

生氣嗎？那倒還不至於。她不是那種愚蠢的言情小說女主角，那種空有幾分姿色就認爲全世界的男人都該拜倒在她石柳裙下而有一例外就誓死要將之把到手的彆腳女主角。

她只是很驚訝他怎麼會拖了三個月後才來認領她。根據其他同學的說法，如果開學時沒有學長姐來認領你，基本上，你就已經與直屬學長姐無緣了。因爲這代表你被分配給一個懶得管學弟妹閒事的傢伙，所以她早已不指望這號人物。

還記得他跟她說的第一句話是——

「聽說，妳是我的直屬學妹？」

「呃……」她坐在教室座位上，不安地低著頭，「應該是吧。」

「這是我的手機。」辛兆群遞給她一張紙條，「有事的話，打給我。」

「謝謝你。」蔚藍對他揚起一抹微笑。雖

然這個學長出現得有點晚，感覺上也是個冷酷的人，但終究還是出現了。

他擺擺手，轉身離去。

他們的第一次談話就這樣結束了。很簡短、很倉卒、很隨便……但他說話時面無表情的臉還有那不帶情感的語調都讓她印象深刻。

多年之後，她才發現，原來從那個時候開始，這個男人的身影就已經烙印在她心裡，很深很深……

有了他的電話號碼之後，蔚藍漸漸依賴上辛兆群。不論什麼大小事，她第一個想到的就是那張黝黑的剛毅臉龐、那雙炯炯有神的雙眼，還有那毫無起伏的嗓音。

「學長，我可不可以跟你借去年的筆記？」

「學長，我應該參加吉他社還是辯論社？哪個比較好玩？」

「學長，吳教授會常常點名嗎？我蹺掉一節課有沒有關係？」

「學長……」

辛兆群給蔚藍的回應永遠都是簡短且敷衍的，「好」、「隨便」、「我知道了」……大部分的時候，他什麼忙都幫不上，但她還是很喜歡找他，只是聽聽他的聲音也好，只是看他一眼也沒關係。

這個時候的蔚藍還沒意識到自己的愛慕已悄悄萌芽。

一直到她親眼見到那對走在校園裡的情侶。

那是她第一次見到辛兆群笑，而且是開懷大笑。她一點也不懷疑那個能將他臉上的孤傲趕走的人就是他身旁的女生，一個頂著一頭短髮，看起來非常開朗的女生。

原來，他也有這麼可愛的一面啊……蔚藍站在不遠處，愣愣地看著這幕。她一直以爲辛兆群的臉永遠都只有那一號表情，她甚至認爲他根本不會笑。

她的心有點酸酸的，說得直接點，就是不甘

心。就像一道你絞盡腦汁都解不開的數學題，卻看見一個比你笨上二百倍的人輕易解開了一樣。

這個畫面，一直到多年之後，仍深植她的心。

就是在這一天，蔚藍終於明白自己長久以來追隨辛兆群的背影是爲了什麼……爲得就是讓他轉頭看她一眼，然後對她揚起那麼樣的一個笑容。

之後，蔚藍從其他同學口中得知，那個與辛兆群相依偎的女生眞的是他女朋友，從高中時代就在一起的親親女友。

難怪，她打從一開始就入不了他的眼，不論她是不是全校公認的校花，不論她在系上有多受男同學歡迎，更不論她是不是他的直屬學妹……

因爲他的心早就裝了另一個人，早就沒有她的位置。他的人生已經有了一個比直屬學妹更值得費心思的對象。

蔚藍安慰自己，算了吧，反正才不過半年的時間，也不至於喜歡到無法放手。幸好及時發現名草有主，現在抽身還不算太晚。

可是當她的心裡想著放棄，實際行動起來卻又是另一回事了。她還是無法改掉打電話給辛兆群的習慣，偶爾經過麵包店還是會順手買幾個他喜歡吃的菠蘿麵包給他，買飲料的時候也沒忘記幫他帶一杯珍奶……

喜歡，哪能說戒就戒？這種事跟時間長短是沒關係的。

辛兆群已經習慣了蔚藍的熱絡，嚴格說起來，他根本沒注意過這個學妹。所以她是熱絡還是冷淡，對他而言，都一樣。

面對蔚藍，他還是依舊沒有什麼情緒上的起伏，言語間還是一貫地簡潔。但是他自己很清楚，他已經將這個小學妹當作朋友了，否則不會三番兩次接受她的麵包和飲料。

不過，僅此而已。他知道自己不喜歡她，因爲看著她時，他不會有望著女友周沛霖那種怦然

心動的感覺。

光是這樣的接受方式，蔚藍就很滿足了。畢竟，她已經在這個來自北極的冰人的允許下走進他的生活。對現在的她來說，這就已經夠了。

但，這個時候的她還不懂，愛情不是只有這樣就夠了。當你得到一絲暖意，你就會不自覺地走向發光處，一步一步，越來越近，直到你的手能觸碰到溫暖……可怕的是，你也同時被燒得遍體鱗傷。

在大學第一年的生涯幾乎要結束時，她就知道這樣的距離對他和她來說還是太遠了。想要接近他的欲欲望太強烈，友情這樣的關係已經不能滿足她……

就當她以爲自己可能要一輩子守著他的背影與他的愛情無緣時，屬於他和她之間的轉捩點終於降臨——

事情是發生在暑假開始前的一個禮拜。

那個忘記是姓林還是姓李的男同學，從上個禮拜開始就不分晝夜地在蔚藍住的宿舍樓下站崗，而且每天都很不免俗地捧著一大束玫瑰花。這種愚蠢又沒效率的行爲，我們解讀爲「追求」。

這種事，她已經看多了。幾乎是從高中開始，她的生活就已經被這些不計其數的無聊男子搞得烏煙瘴氣。相形之下，辛兆群的冷漠寡言更能吸引她。

她不懂得拒絕，因爲傷人的話她說不出口，而她從來也沒想過做這種可能會讓人討厭的事。不過，往往因爲這樣，她總給追求者無限的想像空間。

「蔚藍，請妳給我一次機會！」林同學高舉玫瑰擋住她的去路，「看在我連續十天頂著大太陽站在這裡等妳的分上，跟我吃一頓晚餐吧！」

蔚藍咬著唇，思索著哪種拒絕方式比較不傷人。她已經連續十天忽視他愚蠢至極的站崗行爲，十束玫瑰花連一朵都不敢收，這樣還不夠明

顯嗎？

「蔚藍……」他苦苦哀求，只差沒跪下來。

站在一旁的辛兆群終於看不下去了，「你看不出來她『非常』不想跟你吃飯嗎？」

見到救星出現，尤其還是她最喜歡的人，蔚藍差點就要感動地流淚。

「你誰啊？」林同學尷尬地垂死掙扎，「這是我和蔚藍的事，跟你有什麼關係？」

他走到蔚藍身旁，拉起她的手腕，說出一句將一輩子深深刻劃在她心上的話——

「她是我罩的人。」

丟下目瞪口呆的林同學，辛兆群便拉著她的手離開。

就是這句話，就是這麼一句充滿保護欲欲的話……

蔚藍如飛蛾撲火般地衝向辛兆群，決定不顧一切放縱自己瘋狂愛。當時的她沒有想過這瘋狂足以搞得兩敗俱傷，把自己弄得傷痕累累，最後將所有人的愛情一起拖入泥淖……

他愛她。

辛兆群很愛這個總能將他的憂愁一掃而空的開朗女生周沛霖。

上高中的第一個月，大部分的同學都已經打成一片，也都各自有屬於自己的小圈圈，唯獨辛兆群這個沉默寡言的大男孩仍是孤獨一匹狼。

他被分配到周沛霖隔壁的位置。她的座位不論上課、下課都被許多同學包圍著，她就是一個這麼受歡迎的女生。倒不是說她長得多漂亮，而是她的每句話都能將眾人逗得哈哈大笑，而這種角色在學校自然很吃得開。

相形之下，坐在眾星拱月的周沛霖身旁，孤單一人的辛兆群顯得更加寂寥。

一開始注意到她，不是因爲兩人咫尺的距離，也不是因爲她那爽朗的笑聲，更不是因爲她那引不起他興趣的愚蠢笑話……而是他們搭同一

班公車上下學的緣分。

從他第一天搭公車上學開始，他就注意到這個總是笑得很大聲的女生。他發現，她好像永遠都在笑，似乎沒有什麼事能將她的快樂驅逐出境。

或許是因爲兩人個性上的明顯對比，又或許是因爲她這個角色過度鮮明，總之她的身影已經入了他的眼。

不過，即使兩人比鄰而坐，辛兆群和周沛霖在班上的交集仍不頻繁。偶爾她會跟他借橡皮擦，偶爾她會請他教她數學，偶爾她會說幾個笑話逗他開心……然而這些「偶爾」都是由她主動出擊，而他的反應都只是淡淡的一聲「好」。

某個下著滂沱大雨的下午，當所有學生都趕著衝回家還是努力擠上公車，只有辛兆群還有周沛霖兩個人站在學校對面商家的騎樓下躲雨。

他戴著耳機，聽著伍佰瘋狂的歌聲。

她站在他身邊，望著他寂寞的側影。

「可以分一邊的耳機給我嗎？」她輕扯他的衣角，試著引起他的注意。

辛兆群點點頭，如往常一樣。他從不拒絕她。

「妳說眞心總是可以從頭，眞愛總是可以長久，爲何妳的眼神還有孤獨時的落寞……」伍佰的滄桑嗓音在兩人的耳中迴繞。

「你很喜歡這首歌？」她想，這應該算是聊天吧。這是他們同班將近一年來，勉強算得上是談話的一次。

他點點頭，依舊面無表情。而她只好跟著他一起沉默許久，久到〈挪威的森林〉結束播放，然後從頭再播一次。

「辛兆群……」她輕聲喚他，「你不快樂嗎？」

周沛霖的問題讓他眉頭微蹙。他不快樂嗎？或許吧，他已經忘了自己上回開懷大笑是什麼時候的事了。

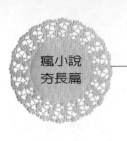

「就是這個表情。」她抬手輕撫他深鎖的眉頭，「就是這個悲傷的表情，讓人好想將所有的幸福都帶給你，趕走你的不快樂。」

周沛霖突兀的動作讓他不自覺地退後一步。這女孩以為自己是誰？憑什麼認為一個已經遺失笑容的人能因為她幾句安撫的話就尋回快樂？

他的退卻在她向來溫暖的心注入一絲冰冷，「不要拒絕我，好不好？」她咬著下唇，那悽涼是辛兆群從未在她開朗的臉上見過的。

「妳……」不知道為什麼，他覺得泫然欲泣的表情一點都不適合她，她應該是那個時時刻刻都笑得無憂無慮的傻大姐。

「我很喜歡你。」她低著頭對他說，「喜歡到想將你心中的烏雲全部撤走，喜歡到想將自己的幸福全部給你，喜歡到……」

「好。」

辛兆群打斷這個年輕女孩的勇敢告白。

「或許我不該問，讓妳平靜的心再起漣漪，只是愛妳的心超出了界限，我想擁有妳所有一切……」伍佰的瘋狂繼續包圍著兩人。

望著手足無措的周沛霖，他重複著，「我說好，我不拒絕妳。」

「你是說……？」

「我……讓妳喜歡。」他的情緒平淡地毫無起伏，但那總是冷酷的臉染上了一抹紅潮，「我很期待妳把全世界的快樂都帶給我。」

「所以……你願意做我的男朋友？」她不敢置信地反覆確認。

「妳說呢？」他揚起了兩人認識以來的第一抹微笑。

「辛兆群，」她顫抖地拉著他的手，「我……好高興喔，高興到快站不直了。你可不可以抱抱我？不然我怕自己會昏倒。」

辛兆群二話不說，一把擁起周沛霖。她的髮香頓時竄入他的鼻息間，而她的體溫也緩緩地在他身上蔓延……原來這就是初戀的味道。

多年之後，他才發現，原來從那個時候開始，這個女孩的身影就已經刻劃在他心裡，很深很深……

這天之後，辛兆群枯燥乏味的高中生活逐漸出現一些變化。他開始和班上的同學打交道，然後交了一、兩個比較談得來的朋友。而這一切都是拜周沛霖所賜，畢竟身為班上風雲人物的男友，他的人緣也不會差到哪裡去。

與周沛霖在一起後，每一天都讓辛兆群很期待。期待在人擠人的公車上與她緊緊依偎；期待在午餐時間與她分食；期待在晚自習念書時，讀她遞過來的紙條……

高三那年，所有人都看出來一向對課業懶懶散散的周沛霖開始奮發圖強。當大家提出質疑時，她只是笑笑地說：「我要陪我那用功的男朋友一起考上第一志願。」

不過，到了放榜的那天，周沛霖卻哭著來找辛兆群。

「為什麼？」在他懷裡哭得淚眼汪汪的她模模糊糊地說：「我已經那麼努力了，為什麼我還是考不上你要讀的第一志願？」

他只是笑著輕拍她的背，「沛霖，我知道，妳的努力我都看到了。」

「你還笑？」她拉著他的衣袖擦拭淚水，「我們都要分開了，你知不知道？你去了台北之後，我就……」

「誰說我要去台北了？」

「你不是……？」她訝異地望著他，「考上第一志願，你不去台北，要去哪裡？」

「跟妳一樣啊，我要留在高雄。」他輕扯她的短髮，那眼神寫滿寵溺。

「兆群，我不值得你那麼做。」前一秒還哭啼啼的女主角，這回卻反過來勸他離開。「你不需要為了我放棄自己的理想。」

「誰說是為了妳？」他挑眉問：「我只是不想把我的快樂留在高雄，一個人孤孤單單地上台

北念書。」

她再次紅了眼眶，緊緊抱住他，「這是你說過最浪漫的話了。下次還有人再說你不懂情趣，我一定找他算帳。」

辛兆群沒有說話，只是靜靜地享受這個擁抱，享受這女孩帶給他的幸福。

「兆群，你……眞的不後悔嗎？」她遲疑地望著他的雙眼。

「如果爲了念那該死的第一志願而放開妳的手，我才眞的會後悔一輩子。」他仍舊面無表情，語氣依然毫無起伏，但那被他抱著的女孩已經深刻地感受到他的執著，還有專屬她的溫柔。

「這可是你說的喔！」她在他唇上印上一吻，「這輩子，你是甩不掉我了。」

他回應她的吻，然後說出一句將一輩子在她愛情裡留下刻骨銘心印記的話——

「我的快樂在哪裡，我就會在哪裡。」

就是這句承諾，就是這句代表愛情的承諾……

周沛霖更加篤定自己要花一生一世的時間讓辛兆群這個不快樂的男人幸福。當時的她沒有想過這份篤定也會有動搖的一天，更不知道一生一世這樣的承諾對誰來說都太沉重了……到最後，她才明白，給予一個人幸福並不是她想像的那麼簡單，因爲只有愛情是不夠的。

2、攻防

男追女隔層山，女追男隔層紗。

這看似千古不變的定律根本狗屁不通。

當一個女人喜歡你的時候，你根本就不需要大費周章地獻上玫瑰或巧克力。你需要做的只是一句最眞誠的告白，這就足以令她投入你的懷抱。

相反地，當她對你興致缺缺時，不論你奉上靈魂還是挖出你的心，她都只能以一張好人卡作

為回報。這種事不是努力就有用的。

同樣的道理當然適用於男人身上。

當一個男人心裡有妳，就算蓬頭垢面、披頭散髮，在他眼裡妳都宛如天仙下凡。女為悅己者容，不過是點綴詞。

相反地，當他的心已經有了別人的影子，縱使妳濃妝豔抹，甚至是赤裸地躺在床上，對他來說，都只是東施效顰。

所以，追求毫無意義嗎？

當然不是，正因如此，追求成了愛情裡最值得珍藏的部分。

因為他喜歡你，所以你的追隨使得這份感情更完整，當你們白髮蒼蒼時還能細細品味這段共同的回憶。

如果他不喜歡你，那你的追逐正好可以加深你們的微乎其微的緣分，將兩人之間一百步的距離縮短為九十九步、九十八步，然後九十七步……

這種事會因為你暗戀的對象已經有女朋友而改變嗎？

當然不會！蔚藍如此堅定地認為。

她對辛兆群的喜歡雖然曾因為他名草有主而動搖，但心動就是心動了，這種堅定是不會被區區的緣分打敗的。

如果兩人之間的緣分不是命中注定，她不介意製造「人為的」緣分。

單戀辛兆群的第一年，她只是偶爾送送麵包、遞遞飲料，她自認這樣的做法對一個有女友的男人還不算踰矩。

這一年來，她謹記自己和他學長學妹的關係。不敢做得太多，也不敢表現得太明顯，只怕破壞這份完美的平衡。

她很清楚辛兆群有多愛周沛霖，他不會允許任何一點點雜質玷污兩人的感情，縱使那份污染的根源是她。

若辛兆群察覺到她的愛慕之情，無庸置疑

的，他們的友誼也到此爲止。他不會再接她的電話，也不會再接受她討好的食物，因爲這些都有可能傷到他的親親女友。

知道了這點，她開始學會壓抑自己，壓抑自己的喜歡，壓抑地告訴自己做他的朋友也沒什麼不好……而這長達一年的「壓抑」卻輕易地被一句話擊倒——

「她是我罩的人。」

蔚藍深深相信，這句話是辛兆群對她愛情的回應。在她靜靜守候他的背影一年後，他終究回應她了——一句宛如「我也愛妳」的深情回應……

她是個女人，不是個獵人。對於掠奪別人的男人，她不感興趣。不過，若那男人是唯一可以打動她的心的人，她不介意做個有心機的女人。

於是，在她沉默了一年的暗戀後，她開始有了動作。不過她仍然謹記一份原則，不驚動辛兆群。

她的追求必須是安靜的，如氧氣，一點一滴滲透他的生活。待他發現時，他已離不開她。這就是她的計畫，一個工於心計的女人的計畫。

但過了很久很久，她終於發現「她是我罩的人」這句話，只是字面上的意思……

在聽見辛兆群那帶有佔有欲的宣言一個星期後，她若無其事地打了通電話給他。

「學長，你在忙嗎？」她小心翼翼地問，生怕打擾到他。

「不會。」他的回答是一如往常的簡潔。

「那可以麻煩你一件事嗎？」她的口氣帶著無助。

「什麼事？」他可沒打算幫她做什麼能力所及外的事。

「我想出去吃飯，可是……你知道的，宿舍外那個站崗的傢伙還是不肯放過我，我根本就不能出門。」她邊說邊透過窗口瞄了一眼那位可憐的追求者。

蔚藍向來將這些追求者視作麻煩，一群她不知道該如何拒絕的麻煩。直到見識過辛兆群的保護欲，她才明白這些人可以理所當然地成爲她接近他的藉口。

「又是那個姓林的？」他想起上週那個捧著大把玫瑰想一親芳澤的蠢蛋。

「不是，這次是法律系的李啓元。」她嘆了口氣。

「小藍，妳行情眞好。」他輕笑，興味盎然地說。

她喜歡聽辛兆群這麼喊她。有時她會想，他對她其實也有那麼點不一樣吧，否則怎麼會如此親密地叫她？光是這樣，她就有繼續下去的動力。

「不要笑我啦，快幫我想辦法。」對一個美女來說，撒嬌是她慣用的招式。

「唉，妳這樣不行的。」他無奈地搖搖頭，「解鈴還須繫鈴人。如果眞的對人家沒意思，就該直接了當地拒絕。這樣一拖再拖只會讓你們的關係越來越曖昧。」

「如果我有勇氣say no，還會落到這種下場嗎？」她暗自祈禱他是因爲吃味才說這些話，「學長，幫幫我吧，我發誓這是最後一次。」

蔚藍的懇求令他無從拒絕，「好吧，十分鐘後，我到宿舍接妳。」

辛兆群依照承諾，騎著摩托車在蔚藍住的女生宿舍下出現。然後，在李同學目瞪口呆的反應下，讓她坐上了他的後座，載著她瀟灑離去。

兩人隨便挑了一間餐廳，解決晚餐。

「小藍，記住，這是我最後一次幫妳做這種事。」吃飯時，他認眞地對她說。

話雖如此，但他們都很明白，當她下次提出要求時，他還是會義無反顧地幫她解決問題。就像他說的，她是他罩的人。

她沒對他的警告做出反應，只是假裝不在意地問：「你不用陪沛霖學姐嗎？」

「她今天要打工，我晚點還得去接她。」他思索後皺起眉，「妳等一下可以自己回去吧？」

酸楚在蔚藍心中無止盡蔓延。不論她這個學妹在他心裡的分量有多重，她永遠都排在周沛霖後面。有什麼辦法？在他愛上她之前，他的愛情裡只擺得下一個人。

「嗯，我可以搭捷運，你不用擔心。」她裝出一副無所謂的樣子。

這種時候，她不會傻得要求他送她回去。她很清楚，對辛兆群而言，沒有一個女人有資格和周沛霖爭寵，包括她。若在此時要任性，他只會將她當作一個驕縱的大小姐，然後兩人的距離又被她拉得更遠。

「那就好，妳自己小心點。」雖然對學妹感到抱歉，但這也沒辦法。

「希望我回去時，李啓元已經走了。」她淡淡地說。

「對喔，我居然忘了這號人物的存在。」他露出一副傷腦筋的樣子，「我看，還是我送妳回去好了。」

「沒關係啦，我自己會想辦法。你不是還得去接沛霖學姐嗎？」嘴巴上是這麼說，但她的心已揚起了一抹勝利的微笑。

只見辛兆群撥了通電話給女友，讓她多等他二十分鐘。之後，他果真很有義氣地送蔚藍回宿舍。想當然，李同學已不見蹤影。不過這都無所謂，她的目的已經達到了，這就夠了。

這不著痕跡的心機，只是蔚藍掠奪計畫的第一步。遊戲，才剛剛開始……

「聽說……最近你和那個叫蔚藍的學妹走得很近？」周沛霖佯裝不在意地問著在身邊閉目養神的辛兆群。

「吃醋啊？」連眼睛都沒有睜開，他淡淡地問。

「對，我在吃醋！」她搖著男友的肩膀，試

圖喚起他的注意力。

終於，他張開眼，將她摟進懷裡，「傻瓜。」

「少給我避重就輕。」她的臉佈滿怒氣，「辛先生，我還在等待你的解釋。」

「辛太太，我可沒有做什麼需要向妳解釋的事情。」

一句親密的稱呼融化了周沛霖的心，秋後算帳的事早已被拋到九霄雲外。

她無力地趴在桌上，「兆群，你到底知不知道我當你女朋友當得很心虛啊？你是我倒追來的，我隨時隨地都在擔心你會被別人拐跑。尤其，你那個小學妹長得那麼漂亮……」

「她又不是妳。」

「什麼？」一時之間，她無法會意他的意思。

「蔚藍再漂亮我都看不上眼，因爲她不是周沛霖。」

「可是……」好啦，她承認那句話有滿足她女人的虛榮心，但她還是不安啊。

「小小的腦袋怎麼裝得下那麼多問題？」他輕彈她的額頭，「如果我沒有記錯的話，妳好像沒有追過我。妳只說要把很多幸福給我，然後我就乖乖跟妳走了，不是嗎？」若眞要說被拐跑，早在幾年前他就被一個叫周沛霖的女生拐跑了。

辛兆群不懂爲什麼她總有那麼多的不安全感。在一起這麼多年了，難道她還不知道以他的個性，除非他點頭答應，否則根本沒有人走得進他的心門？

只有她，只有周沛霖這個樂觀到近乎天兵的笨女生能夠讓他塵封多年死寂的心再次跳動，因愛情而跳動。

「話是這麼說沒錯。」忘記兩人正在談判，她撒嬌似地坐在他的腿上，「但是認識你這麼久，除了我之外，也沒見過你跟誰特別親近。只有這個小學妹有能力可以吸引你的注意力，你說

我能不擔心嗎？」

她這個男朋友的沉默寡言，從別人的眼裡看來彷彿高不可攀的驕傲，但對她來說，這其實只是小男生的彆扭。

她很慶幸他這項可愛的特質只有她看得見，也很慶幸別的女人總因爲他的面無表情而不敢靠近。直到蔚藍的出現，她開始有了危機意識。

「我只是將她當作妹妹。」一抹哀愁閃過他的眼，「妳不覺得她和小蘭很像嗎？」

話到此，周沛霖終於明白從頭到尾都是她在無理取鬧。她心疼地緊緊抱住他，試圖將身上的溫暖傳遞給他。

這件事也是在他們交往一年後，她才知道的。辛兆群有一個妹妹，在他上高中的前一年因爲癌症過世。這就是爲什麼當時的他選擇封閉自己，不跟人群接觸。

然後他遇見了周沛霖，一個承諾要將他的烏雲一掃而空的女生。他才開始走出失去妹妹的陰影，慢慢相信這個世界還有值得讓他開懷大笑的事。

「沛霖，我對她好不是因爲心動，只是因爲我在她身上找到了一股熟悉感。」他的心死過一次，再次跳動是因爲遇見了她。這樣的他已無法愛上其他女人。

嚴格說起來，蔚藍和他妹妹其實長得並不像。但她們都有一雙大大的眼睛，一張單純無辜的小臉，最重要的是……她們都叫「小蘭」。

「好吧，我勉強接受這個解釋。但是你得記住喔，女朋友永遠都比妹妹重要。」

他的一席話讓周沛霖選擇對蔚藍這個「可能的」第三者視而不見。不是因爲她沒資格與她爭奪愛情，而是因爲她太相信辛兆群了，相信他的心已經被她制約。

「學長，你今晚有空嗎？我這裡有兩張電影招待券。」蔚藍開心地揚著票在辛兆群眼前晃。

他伸手接過她手中的票，「這……不是我等了很久的那部電影嗎？」

蔚藍不敢讓他知道，因爲他的一句話，她便大費周章地弄來兩張賣到斷貨的票。費盡心思不過是爲了得到那麼一絲可能獨處的機會。

「就當作是償還上次你幫我趕蒼蠅的人情債，這次換我請你看電影。」她把一切說得如此理所當然，就怕自己的心機被看穿。

「小藍，我花錢跟妳買這兩張票，好不好？我很想帶沛霖去看這部電影，可是一直買不到票，所以……」他不好意思地搔搔頭。他只想將生命中最美好的東西與最愛的人分享，這種事與身爲「妹妹」的蔚藍無關。

辛兆群的窘困在蔚藍的心戳出一個洞，一個彷彿笑話的洞。

爲了得到他的注意力，她不惜投其所好，透過關係去弄來兩張根本不可能買到的票。雖然不打算讓他發現自己的心思，但她也沒想過將努力的結果奉獻給這兩個終成眷屬的有情人。

她是不是做錯了？她不該隱藏自己的喜歡，讓辛兆群對她的努力視而不見，然後將她定位成朋友……如空氣般安靜的愛情雖然無孔不入，但也容易被忽略。

「這、這樣啊……」她強忍尷尬，假裝無所謂地說：「那這兩張票送給你好了，你就跟沛霖學姐來場電影約會吧。」

蔚藍一向不懂得拒絕別人，因爲她太害怕被討厭，習慣眾星拱月的她想要被所有人喜歡。而面對辛兆群時，她又太希望被他放在心上，所以那個「不」字便硬生生哽在喉嚨。

「謝謝妳，小藍。改天我請妳吃飯！」他咧嘴大笑，迫不及待地掏出手機打算通知女友這個好消息。

望著他如個大孩子般的喜悅，蔚藍心上的那個洞又破得更大了。她終究比不上周沛霖那個他愛了四年的女人……連相提並論的資格都沒有。

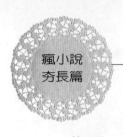

沒關係，一切都只是時間問題，她咬著下唇安慰自己。辛兆群只是暫時看不到她而已，這不代表她會永遠被擺在周沛霖之後。

「不要緊，妳去忙吧。晚上見。」辛兆群對著電話那頭的女友說。

見他失落地掛上電話，她大概也猜出發生什麼事，「怎麼了嗎？」

「沛霖今晚要幫餐廳的同事代班，沒空與我約會。」他苦笑。

「那就改天再去看吧，反正招待券還有兩個星期才到期。」話雖如此，但她知道這次連天都在幫她。

他搖搖頭，「沛霖一向對這種藝術電影沒興趣，我想就算有時間，她也不會陪我去看。」是他太過急切想與她分享，才忘記這件事。

蔚藍一直都不懂像辛兆群這樣的男人爲什麼要和周沛霖這樣的女人在一起。不是說她配不上他，而是他們兩個的世界太不一樣了。

除了對電影欣賞的角度不同之外，她不只一次聽過兩人對其他事物大相逕庭的態度。而他們充滿反差的個性都一再證明他們有多不適合，一個冷靜自持，一個熱情天真……這樣的他們怎麼天長地久？

「學長，你還有我啊。別忘了這兩張票可是我的貢獻。」周沛霖，不要怪我，這個機會是妳自己送上門的。她在心裡露出勝利者的姿態。

「也對，那我晚上去宿舍接你。」現在的他已經不在乎是和誰看這場電影，只是單純地不想辜負蔚藍的一片心意。

她將欣喜若狂的心情隱藏得很好，暗地裡反駁緣分不能被刻意安排的說法。

3、撒網

蔚藍從年紀很小的時候就開始學習討好身邊的所有人。

父母在她七歲的時候離婚，扶養權歸母親。偶爾她會到父親那住上幾天，但都很短暫，短暫到不足已建立任何感情。

然後兩年過去，父親娶了另一個她喚作「阿姨」的女人，產下一子。父女兩見面的機會又更少了，最後甚至只是生疏地以電話簡單問候。

虎父無犬子，長得出眾的蔚藍自然有個漂亮的母親。而一個美麗的女人身邊總是不乏男人圍繞，尤其是一個寂寞的美麗女人。

別人口中那種會爲孩子做菜、補衫的媽媽從來都不曾出現在她的記憶裡。她對母親的感覺永遠停留在那雙總是塗得嫣紅的朱唇還有那一身濃濃的香水味。

與父親離婚不到一年，她就交了一個小她五歲的男朋友。或許就是從那個時候開始，蔚藍便知道母親是一個愛自己更甚於愛孩子的女人。

還不到十歲的蔚藍早已獨立地學會打理自己的生活，一個人上下學，一個人到超商買微波便當吃，一個人出席學校所有需要家長出席的場合……

在母親換過一個又一個的男朋友之後，蔚藍看人臉色的功力又更上一層樓了。

她知道不要在媽媽與男友吵架後跟她說話，因爲結果往往都是一句不耐煩的叫罵；她知道哪一個「叔叔」會買玩具給她，哪一個總對她視而不見；她更知道身爲拖油瓶的自己必須永遠不吵不鬧，因爲一個不小心她就有被遺棄的可能……

所以，蔚藍的童年總是過得小心翼翼。不能向爸爸撒嬌，不敢打擾媽媽談情說愛，不可以讓「叔叔」討厭她……總歸一句，她是一個活得很壓抑的人，而這種性格已在她的體內生根，想改都改不了。

上了高中後，蔚藍已出落成一個美人胚子。繼承了父親文靜的氣質與母親豔麗的長相，融合出一種不食人間煙火的獨特美麗。

因爲一副吸引眾人目光的長相，同儕們自然

對她有更高的標準。如果她今天講話稍微大聲一點，就會被當作頤指氣使的大小姐；如果她今天擺出一張臭臉，就會被當作恃寵而驕的公主。

久而久之，她學會無時無刻都在臉上掛著一抹微笑，學會對所有人講話輕聲細語，學會不拒絕任何人的要求……唯有如此，她才不會被貼上標籤。

每個認識蔚藍的人都自然將她與好脾氣劃上等號，也習慣她客氣卻疏遠的態度。這樣的她有一大群「朋友」，畢竟沒有人會推拒一個「內外兼俱」的嬌柔女生。

可是，高中三年過去，上了大學，她還是連一個可以談心的對象都沒有。男人總是帶著有色眼光看她，接近她的目的不過是想一親芳澤；而女人對她的態度除了有一絲欣賞還有很多很多嫉妒。

直到遇見了辛兆群，她才知道有些人真的可以對她的美視而不見。而這種漫不經心竟意外吸引了她的目光，她開始注意起他的一舉一動，然後不知不覺迷上他的沉默寡言，戀上他的面無表情。

爲什麼是辛兆群？這個問題她也問過自己千百回，答案依舊無解。

直到那天在校園裡見到辛兆群與周沛霖相互依偎的身影，她才知道自己尋尋覓覓的究竟是什麼——她想要被縱容。

從小到大，她都沒有嘗過被人捧在手掌心的滋味。從父母離婚的那刻開始，她就被逼著長大，被逼著接受自己沒有人愛的事實。

而辛兆群帶著一張寫著自己電話號碼的紙條出現，以最冷漠的表情告訴她，有個人可以不計較從她身上得到什麼，只是單純地想對她好。

明明不喜歡她，卻放任她打電話煩他；明明看不慣她對追求者曖昧的態度，仍不厭其煩地將他們一一趕走；明明有一個用生命在愛的女人，卻還是在他的生活裡爲她保留著一個小小的空

間……

辛兆群對蔚藍縱容，全是她在過去的人生裡感受不到的溫暖。所以她放任自己對他任性撒嬌、死纏爛打，其實只是想嘗嘗當一個小女孩是什麼感覺。

然而，周沛霖的存在讓她不得不讓自己的愛情變成一場生存戰。她不是天生的掠奪者，偏偏她的幸福需要踩過另一個女人才能完整。

其實，她只是羨慕啊，羨慕周沛霖什麼都不用做就能得到她期盼了一輩子的疼寵，羨慕她有個男人以看著珍寶的眼神看著她……

多年之後，蔚藍才從這場如戰爭的愛情裡領悟到矛盾之處。她想要被縱容，可是卻仍被迫做出她最厭惡的事，那就是——

戴上一張虛僞的面具去討好她所愛的男人。

大二走入尾聲，暑假來臨，辛兆群與蔚藍的關係已在他不知情時悄悄改變。

第一年，兩人謹守友情的界線，只因爲他的愛情在另一個女人身上。第二年，她選擇跨出一大步，只因爲太想要擁有那樣的寵溺，而他依舊按兵不動。

如果說人是群居動物，那麼流言蜚語無庸置疑地是他們的精神食糧。八卦就像一塊散發出香味的血肉，讓所有嗜血的動物爭先恐後。

辛兆群有個交往多年的女友，這是事實；他經常和校花蔚藍混在一起，這也是事實；周沛霖因爲美女情敵倍感壓力，這……快要變成事實；三角關係越演越烈，男主角有意拋棄「元配」，選擇第三者……若說這不是事實，誰信？

蔚藍早就知道愛上一個有對象的男人不會是件容易的事，所以她已做好被輿論攻擊的心理準備。如果這是她得到幸福的代價，她無所謂。

周沛霖原有的猜忌與懷疑已因辛兆群的保證而一筆勾銷。她相信這個男人，多年的感情告訴她，他不是個三心二意的人，一旦決定愛了就是一輩子的事。

至於辛兆群，他根本沒將似眞似假的傳言當一回事。他很清楚自己的愛情在周沛霖身上，而蔚藍只是他妹妹的影子，一個讓他彌補遺憾的角色。

但，愛情從來都不是一個人的事，只怪當時太年輕的他們還不懂。三個人都太過一廂情願了——一廂情願地相信自己會幸福。當他們悟出這個道理時，愛情已將他們推入死胡同。

「學長，我有個好消息告訴你。」蔚藍將剛買的珍珠奶茶交給正在樹下看書的辛兆群。

「妳交男朋友了？」他的視線離開書本，輕啜了口奶茶。

「當然不是。」認識這麼久，有見過她跟除了他之外的男人走在一起過嗎？

「那是什麼事？」不自覺的，她的笑牽起了他嘴角的弧度。

「記得上次跟你說過，我把那個花了半年時間創作的故事寄給一間出版社嗎？」

他點點頭，隱約猜出她說的好消息是什麼了。

「他們很感興趣，如果洽談後沒問題，那個故事就會被出版成冊。」得知這個消息的第一時間，她就急著要與他分享。

「恭喜妳。」他只是笑著淡淡地說。

開心的蔚藍沒有將他的反應視作潑冷水，因爲她的愛情包容量太大，愛一個人就連他不可愛的部分都一起愛。

「你不覺得這件事值得好好慶祝嗎？」沒關係，他可以繼續慢半拍。這段感情如果注定要由她主動出擊，她不介意放下身段。

「那……我請妳看電影。」

「又看電影？上個禮拜不是才剛看過？」

自從知道周沛霖無法配合辛兆群的興趣後，她便時常藉機找他看電影。久而久之，看電影便成了兩人的一種默契。

「也對。」他皺眉思索，「那要做什麼來慶

祝？」

「學長，你沒聽過把酒言歡嗎？」她笑得無辜、無害、無邪，可是某個不單純的計畫已在她的心裡悄悄成形。

「喝酒？妳可以嗎？」他挑眉審視眼前這個弱不禁風的學妹。

「試試不就知道了？」

這一試的結果是——

「小藍，醒醒。」辛兆群無奈地輕推醉倒在吧台上的學妹。

只見蔚藍一動也不動，緋紅的臉證明酒精已在她體內快速運作。

他笑望著面前的兩個空啤酒瓶，明白這小女生號稱千杯不醉的酒力眞的只是「號稱」。是她高估自己，還是他太相信她了？

抬手望錶，現在已經十二點半，早過了宿舍的門禁時間。他若將蔚藍帶回他的住處，被女友知道後，想必免不了一頓爭吵。

他皺起眉，思索著兩人今晚的落腳處。這個不可以，那個也行不通，看來……

嘆了口氣，他揹起睡得深沉的蔚藍，走出燈紅酒綠的ＰＵＢ。

辛兆群沒發現背後那個應該醉得不省人事的女主角睜開一雙明亮的眼睛，盯著他的後腦勺，心滿意足地勾起一抹微笑。

蔚藍若那麼容易醉，過去那些追求者早佔盡她的便宜。兩瓶啤酒只足夠讓她的臉染上紅暈，離酒醉的程度還有一段距離。

這個沒有心機的男人當然沒想到自己會被一個小學妹如此算計，更不會知道今晚的一切到目前爲止都在蔚藍的計畫中。

當兩人各自飲盡一瓶酒時，辛兆群就提議將她送回宿舍。她如果眞的乖乖地點頭說好，今晚的詭計便無法成形。

所以她不安分地又點了一瓶酒，然後慢慢享用，直到確定門禁時間已過，才讓自己不著痕跡

地「醉倒」。

她不知道辛兆群要將她帶去哪，也不在乎。只知道孤男寡女共處一夜已足夠發生許多事，就算什麼事都沒發生，也夠落人口舌了。

依在辛兆群的頸窩處，聞著屬於他的味道，她想自己已經離幸福很近了。

多年後，蔚藍仍無法忘記這個瞬間，這個她與他最貼近的瞬間。當她的愛情被現實一點一滴腐蝕，這一刻便成了最美麗的餘味。

經過十分鐘的步行後，她見到辛兆群走進一間賓館，向櫃檯要了一間單人房。

蔚藍完全相信這個男人對她沒有非分之想，縱使她已醉得可以讓他爲所欲爲。她很清楚現在他的眼睛裡還是只容得下周沛霖，而她不過是個配角。

走進房間後，辛兆群小心翼翼地將她放在床上，幫她脫掉鞋子，最後才爲她輕輕地蓋上被子。

她聽見他走進浴室，確定他關上門後，才睜開眼。回想他的溫柔，她那已被忽略多時的心注入了一道暖流。

她已經不記得上次有人爲她蓋被子是多久以前的事了，至少從她父母離婚後就沒有任何屬於這樣的記憶。

這些微不足道，甚至根本算不上什麼的舉動都已足夠讓蔚藍歸類爲愛情。她願意爲了這樣的幸福，用盡心機，扮演壞女人，摧毀另一個女人的希望。

幾分鐘後，辛兆群洗完臉從浴室出來，在沙發上躺下。

他不敢洗澡，與一個女人在賓館房間共度一晚已經很誇張了，如果這時候還跑去沖洗，豈不將這場鬧劇演得更曖昧？

其實，他大可將蔚藍一個人丟在這裡，然後自己回家。可是他會擔心，擔心賓館裡龍蛇雜處，她一個不省人事的小女生睡在這裡不安全。

入睡前，他不斷想著自己要如何向周沛霖解釋這一夜。如果讓她從別人的口中聽到這件事一定會衍生出更多誤會，因此他決定天一亮就親自告訴女友整個經過。

躺在床上的蔚藍思索的則是完全相反的事。她暗自希望整個經過能被學校的同學撞見，進而傳進周沛霖耳裡，引起兩人爭吵。這就是爲什麼她選了一間離學校最近的ＰＵＢ和辛兆群把酒言歡。

早上七點，辛兆群和蔚藍準時check out。而八卦燃燒的速度，比他們預期的快上許多……

清晨六點，周沛霖坐在辛兆群的客廳裡，心情複雜得令人想嚎啕大哭。

少了先前的自信，現在的她眞的很害怕男朋友會被蔚藍搶走。她再也沒有把握辛兆群的愛永遠不會動搖，也無法肯定他和蔚藍的關係僅止於兄妹。

前一晚，她接到朋友的電話，通報她的男友與校花在ＰＵＢ裡飲酒作樂。她想直接殺去現場，搞清楚發生什麼事，但是理智叮嚀她要相信辛兆群。

於是，她猛打了他的手機一整晚，而他也關機一整晚。當她總算忍不住跑去ＰＵＢ時，早已見不到兩人的蹤影。

她跑來他家，希望得到一個滿意的解釋。不論他說什麼，她都願意相信，她知道他不會對她撒謊。可惜，從深夜等到清晨，從希望等到失望都不見人影……

快要八點了，男主角總算現身，而女主角的心也被不安啃噬殆盡。

「沛霖，妳怎麼來了？」辛兆群見到女友，頓時不知所措了起來。

「你去哪了？」她將他的心虛看在眼裡，「我打了好幾次電話，你都沒接。」

他掏出手機一看，「沒電了。對不起，我沒注意到。」這時機敏感得嚇人。

「你在忙什麼？忙得沒心思注意到手機沒電？」這是第一次，她用質問的口氣與他說話。

辛兆群皺起眉，不習慣她的咄咄逼人，也不知道要如何將昨晚的一切解釋清楚。

「你和蔚藍在一起一整夜吧？」

「妳知道了？」他原想在她從第三者口中得知前主動提起，將誤會減到最低。這下可好了，手機沒電加上一夜未歸，讓他理直卻無法氣壯。

「兆群，我不要聽解釋，只要聽事實。」

「對，我是和蔚藍共處了一晚。」他嘆了口氣，「她喝醉了，過了門禁時間回不了宿舍。把她帶來這裡，我又怕妳不舒服，所以只好帶她上賓館。」

「賓館？你們……」這個字眼太曖昧，讓她的心糾結成塊。

「沒有，什麼事都沒發生。」他語氣認真，眼神篤定。

周沛霖相信辛兆群，只要他說沒有就是沒有。這男人根本不懂得說謊，光看他一臉誠懇，就知道他和蔚藍真的只是「蓋棉被純聊天」。

「太好了。」她鬆了一口氣，「知不知道等了你一個晚上，我多怕自己等到的是一個讓我崩潰的答案？」

他走上前握住她的手，愧疚地說：「對不起。」

「這次就原諒你。」陰冷退去，笑容取而代之，「可是你得答應我一件事。」

「什麼事？」他輕撫她眼底下的黑眼圈，責怪自己讓她擔心得一宿未眠。

「不要再跟蔚藍走得這麼近了。」

他皺眉，「沛霖，我已經跟妳說過……」

「我知道你只將她當作妹妹。」她打斷他，「可是她呢？不要怪我多想，我真的不覺得她只將你當成學長那麼簡單。」

「妳是說，蔚藍喜歡我？」他笑著搖頭，「這根本不可能。她的追求者那麼多，比我出色

的大有人在，怎麼會看上我？」

「你就當我小心眼。我真的不能接受自己的男朋友有個關係親密的紅粉知己。」

正當辛兆群左右為難時，周沛霖的一句話讓他有了決定。

「不要讓我對你的信任一點一滴瓦解。」

他思索後，點了點頭。

兩個月的暑假匆匆過去，辛兆群一通電話都沒打給蔚藍，而她傳出去的十幾封簡訊也都杳無音訊。

她不笨，當然知道自賓館那一夜後他就在躲她。但她很清楚，他不是那種會畏懼流言蜚語的人，所以會讓他不得不避嫌的原因只有一個：周沛霖。

這一次，她是真的看清楚自己在辛兆群心裡的地位有多渺小。光是周沛霖一個不悅的眼神就足以讓她被發落邊疆。

認輸嗎？蔚藍的字典裡沒有這個詞，至少在愛情那個篇章裡沒有。

尤其當她體驗到辛兆群對她無微不至的照顧後，她就知道自己在這場競賽裡穩操勝算，剩下的……只是時間問題。

如果是一年前，他根本不可能陪她在賓館裡過夜，因為那風險太大，大得足以震垮他與女友的感情。可是一年後，他卻因為擔心她的安危，做出了瓜田李下的舉動，這證明三個人的關係已經不一樣。

她可以搶別人的男人，可以奪別人的愛情，但緣分呢？要怎麼爭？

開學一個禮拜後，蔚藍強忍住想去找辛兆群的衝動。如果這男人已經打定主意與她劃清界線，厚著臉皮去見他只會顯得自己廉價。

光論內斂程度，周沛霖就已經輸蔚藍一大截了。她先把持不住，主動開口要求辛兆群與她保持距離，這種不理智的行為只會顯得自己無理取

鬧。

而蔚藍按兵不動，等於是間接否認她喜歡辛兆群的說法。這不僅讓他感到如釋重負，甚至令兩人的關係繼續保持在學長學妹的階段，他們的未來有無限可能。

當然，這些都只是蔚藍的個人分析。在他什麼都沒有表示之前，她只能繼續心慌，因爲遊戲至此，她暫時失去了主動出擊的機會，現在發球權在他身上。

正當她爲兩人僵持不下的關係發愁時，這齣戲的路人甲粉墨登場，爲接下來的劇情發展鋪路。

「蔚藍，我有話跟妳說。」一個她不過見過幾次面的學姐在圖書館前攔住她。

「有什麼事嗎？」她的臉自動掛起善解人意的微笑。

「妳知道沛霖是個很好的人吧？」學姐的口氣聽起來有點彆扭。

她懂了，這女人是周沛霖的朋友，一個要爲她出頭的朋友。

從蔚藍和辛兆群在一起的傳聞不脛而走時，三年級和四年級就自動分成兩派人馬，一派誓死捍衛周沛霖的愛情，一派爲蔚藍的天真無辜拍胸脯掛保證。

「當然。她和兆群學長都很照顧我。」

她在說謊。事實上，她和周沛霖見到面的機會少之又少，或許是因爲她潛意識在躲避這個她一心算計的女人。她可以爲了追求幸福發狠，卻又避免不了自己的良知被罪惡感啃噬。

「即然如此，介入他們的感情，妳都不會感到愧疚嗎？」

愧疚？當然，只是對蔚藍而言，眞正的愛情值得她橫衝直撞。如果她的幸福注定賠上另一個女人的眞心，她願意永遠背負對她的抱歉。

「我不想說什麼難聽的話。」學姐的態度仍算友善，「只是想告訴妳，他們兩個已經在一起

五年了，這種感情不是說斷就能斷的。」

「不好意思，學姐，我聽不懂妳在說什麼。」她的笑快掛不住了。學姐的一字一句都讓她感到前所未有的心虛，彷彿有個人替周沛霖罵出她的心聲。

「沛霖很單純，如果妳眞的有心要搶她的男人，她一定不是妳的對手。可是妳條件那麼好，爲什麼非他不可？」

「我和兆群學長只是朋友而已。」因爲愛上了有對象的男人，所以她的角色永遠都少了那麼點理直氣壯。

而周沛霖只需要皺個眉頭，所有人都會自動將她歸類爲受害者。縱使辛兆群與蔚藍什麼都還沒發生，只是走得近一點。

公平嗎？打從蔚藍決定和周沛霖爭奪愛情那一刻開始，她就沒資格談公平。

「蔚藍，我們都知道男人和女人之間不可能有純友誼。就算眞的有，你們也該避嫌，而不是這麼明目張膽。」

蔚藍低下頭不出聲，淚水在眼眶裡打轉。

「夠了吧。」頓時，一到沉穩的男聲打破這僵局，「我和沛霖的感情不需要靠妳的仗義執言來維護。」

「學長！」蔚藍的眼淚在此刻不爭氣地流下來，好似有個人終於懂得她的委屈。

「辛兆群，我只問你一句。」如果夠識趣，學姐就會在第一時間離去，可惜她的江湖義氣是劣根性，「你眞的打算爲了蔚藍和沛霖分手？」

他感到不悅，「蔚藍不是說了？我和她只是朋友，這不會影響我和沛霖的感情。」爲什麼全世界都將他們三人的關係想得那麼複雜？

「你眞的認爲沒有影響嗎？女人的忍耐也是有限度的。」她針對起辛兆群。

兩女一男的三角習題，追根究柢許不是第三者的錯，而是男人的心態問題。

辛兆群想要說些什麼來反駁，偏偏連一句安

撫人心的話都說不出口。

學姐望著楚楚可憐的蔚藍和急著展現保護欲的辛兆群，仁至義盡地選擇離開。

「哭什麼？」他掏出手帕爲蔚藍抹去眼淚。此時的她讓他想起童年裡那個經常哭得淚眼汪汪的妹妹。

「你不是在躲我嗎？幹嘛對我這麼好？」被指責又怎樣？被罵又如何？若結果是他的細心呵護，她不介意成爲別人口中的狐狸精。

「對不起。」面對她撒嬌多於責怪的口吻，他選擇道歉。

「不用抱歉，你只是做了你該做的事。」她吸吸鼻子，「如果我們的友情眞的讓沛霖學姐那麼不舒服的話，我們的確該保持一點距離。」

保持距離？蔚藍才不會因爲幾句叫罵就失去理智，這招叫「欲擒故縱」。既然周沛霖的人馬自認爲是正義使者，她就好好利用他們的怒火扮演弱者。

「小藍，妳忘了嗎？」從他見到她被人指著鼻子罵時，他就已經有了決定。「妳是我罩的人。」

這小女生那麼嬌弱，一副風吹就倒的樣子，怎麼照顧自己？遇見死纏爛打的蒼蠅就把自己關在宿舍裡，被人誤會也不知道反駁只知道哭，這樣的她如果少了他的保護，要怎麼在大學裡生存？

「所以，你還是我的兆群學長？」

「是啊，妳還要不要我？」他揉揉她的髮。

「請我看電影的話，我就考慮看看。」她嘴角的弧度緩緩上揚，藏著勝利與得意。

他點點頭，縱容她的任性。

當辛兆群忽視自己的承諾，將蔚藍從新納入保護傘下時，周沛霖就知道這場仗她被打得節節敗退。所以她選擇沉默，被逼得不得不睜一隻眼閉一隻眼。

她可以安慰自己，說兩人只是兄妹般地單純；也可以安撫大家，說自己大方地接受男友的紅粉知己。但可怕的是，她比誰都明白，這行為只是自我催眠。

一開始她只是猜測蔚藍對辛兆群別有居心，現在她則是深深相信這女人有意與她爭奪這個男人。可是，她無力阻止。

蔚藍將自己對辛兆群的感情隱藏得很好，讓兩人表面上如學長學妹般單純，以一句「只是朋友」堵住所有人的嘴。

她不如連續劇裡的第三者鳩佔鵲巢，囂張地對元配嗆聲，反而將楚楚可憐的角色扮演得盡善盡美，讓原本應該指責她的人開始同情起她的處境。

她從不和周沛霖正面交鋒，就算見了面也只是點頭打招呼。如果身為正牌女友的她沉不住氣，找蔚藍攤牌，只會顯得小題大作。

蔚藍是個聰明的女人，懂得讓情勢朝自己一面倒。反觀單純的周沛霖則對她的心機無力招架，她以為愛一個人只要全心全意投入就好，從不知道有種情況叫作「力不從心」。

現在的周沛霖就像自己曾經說過的，她對辛兆群的信任已隨著他與蔚藍頻繁的互動漸漸凋零。兩個人為了這件事，吵也吵過了，鬧也鬧過了。最後，她不得不承認自己的城池已被蔚藍無聲無息地寸寸佔領。

她太愛辛兆群了，為了守住這個自己承諾要將全世界幸福都帶給他的男人，她逼著自己包容他的「妹妹情懷」，咬緊牙根忽略蔚藍的得寸進尺。

離畢業只剩五個月了。周沛霖不斷祈禱離開這所學校後，辛兆群與蔚藍的友情會隨著時間與距離慢慢流逝，而她也用不著如此擔驚受怕。

三年都快忍過去了，剩下幾個月的時間還能發生什麼大事？

辛兆群和蔚藍坐在圖書館裡念書。實際上，

專注於書本的只有他一人，她時時分心以餘光注意他臉上的細微表情。

「學長。」她輕喚，似乎不滿自己被忽略多時。

「幹嘛？」他忙著整理筆記，連頭也沒抬。

已經習慣辛兆群毫無起伏的態度，她自顧自問：「你畢業之後有什麼打算？念研究所嗎？」

「我哪有那麼好命！爸媽還等著我賺錢養家，畢業後當然是先找工作。」

「那你要做什麼？總有個方向吧。」

「我爸的朋友開了間出版社，如果眞的找不到什麼適合的工作，就先在那裡做個幾年累積點經驗。」他索性放棄念書，和蔚藍聊了起來。

「你……還會留在高雄嗎？」

她跟辛兆群差了一屆。換句話說，五個月後，他一畢業，兩人很有可能就各奔東西，縱使她使再多心機也於事無補。

「我想是吧。」

這個回答讓蔚藍鬆了口氣，她多怕他會說出一個讓他觸碰不到的距離，「我還以爲你會像其他學長學姐一樣想跑去台北找工作。」

「我和沛霖討論過了，她對高雄有太多依戀，離不開這片土地。如果這是她的計畫，我願意陪著她留在這裡。」就和四年前一樣。

他的補充如同在蔚藍的頭上澆了桶冷水。他的考量、他的計畫，甚至是他的未來永遠都有周沛霖那一份，不可否認的，這女人是他最深的牽掛。

將近三年的努力還是無法讓她取代周沛霖的地位，充其量只是在他心裡爭取到一個角落，一個比直屬學妹再高一點點的位置。

蔚藍不懂自己是那一點比不上她。論外表，周沛霖如小女孩般的清新根本無法與她吸引眾人目光的嬌豔相比；論內在，周沛霖與辛兆群大相逕庭的性格也差她刻意營造出來的契合一大截。

難道只因爲她比周沛霖晚出現個四年，就注

定永遠排在她後面，然後和辛兆群的愛情擦身而過？這叫她如何心服口服？

一直以來，她的態度都和三年前一樣，深深相信自己對辛兆群的追隨是有意義的，縱使這只能拉近一步的距離……

不過自從辛兆群在仗義執言的學姐的咄咄逼人下為她解圍後，她就明白這種無法光明正大擁抱的距離還是太遙遠。

他心裡的那個位置太吸引她了，現在的她已無法顧忌這份渴求是會傷害到另一個女人。因為……她的愛情從不講求愧疚。

尤其辛兆群畢業的日子逐漸逼近，她的心就更慌，動作也日益大膽。一邊擔心自己的心思會被察覺，一邊又擔心自己的機會會隨著他的離開消失。

「妳到底有沒有在看書？」他指著她的課本，「三十分鐘前看妳在讀這頁，怎麼三十分鐘後還停在這頁？」

他的聲音喚回蔚藍的注意力，她心虛地吐吐舌，不敢讓他知道她放在他身上的心思比放在課業上還多。

「用功點。」他的語氣就像個教訓著妹妹的兄長，「下個星期就要考試了。」

「知道了啦。」她低下頭，裝模作樣地開始劃重點。

只是幾句宛若關心的叨唸，蔚藍的心彷彿被倒入滿滿的蜜糖。此時此刻，她更加確定自己無法對辛兆群這個男人鬆手。

不到幾分鐘的時間，她又開始不安分了，「學長，我們等一下去吃蚵仔煎吧。」

辛兆群無奈地看了她一眼，正要指責她的分神時，一封簡訊打斷了他。

「念書固然重要，但女朋友更重要！別忘了今天是什麼大日子喔～沛霖」

雖沒看到簡訊內容，光見到辛兆群讀簡訊的眼神，她也猜得到是來自周沛霖。

心很酸，這不是經過三年的訓練就能習慣的事。

他在手機上敲下幾個字，點下傳送。然後對蔚藍說：「今天是沛霖生日，我早在一個星期前就訂好餐廳要帶她去慶祝。所以蚵仔煎就先欠著，抱歉。」

「沒關係，沛霖學姐生日嘛，壽星最大。記得幫我跟她說聲生日快樂。」她忍住滿心苦澀，自知不可能在今晚將辛兆群強留在身邊。

「我會的。」他抬手看錶，「時間不早了，我該去接沛霖了。」

「那我跟你一起走。」待她將課本收進袋子裡，兩人肩並肩地走出圖書館。

「你買了什麼生日禮物給學姐？」步上台階走下樓時，她裝作不在意地問。

「情人對戒。」

這個答案讓蔚藍的心瑟縮了一下。一個男人為心愛的女人套上戒指，這明顯表示兩人的關係已經不同，表示他們之間除了愛戀還有承諾。

如果事情真的成了定局，那她這段時間的努力又算什麼？功虧一簣嗎？不可以，她絕對不能接受自己的感情付諸流水。

她一定要阻止辛兆群去赴今晚的約。無論如何，她都不會讓周沛霖戴上那只她夢寐以求的戒指。可是她又不能不識大體地開口留住他，怎麼辦？

正當她不知所措時，眼前的樓梯讓她心生一計。雖然心裡還是有那麼點害怕，但跟失去辛兆群比起來，她已經無所顧忌。

牙一咬，她縱身一跳……

「啊——」

隨著慘烈的呼叫聲，辛兆群感覺到自己的呼吸幾乎停止，因為他見到……

蔚藍從樓梯上跌下來，一動也不動地躺在地上。

4、收網

醫院急診室裡，蔚藍抬著已上了石膏的左腳。護士則為她臉上摔出的擦傷以及手臂上的傷口上藥。

「嗯……好痛！」

辛兆群連忙伸出手讓呼痛的蔚藍握著。

「小姐，妳到底是怎麼摔的？」護士盯著她的傷搖頭，「摔得不輕耶，沒有半身不遂算妳命大。」

蔚藍聞言，在心裡頭感到慶幸，她只是想要絆住辛兆群，可沒想過拿自己往後的人生來開玩笑。

「護士小姐，她的石膏要什麼時候才能拆掉？」辛兆群的手依舊被蔚藍緊緊握著。

「兩、三個禮拜吧。」護士對著他笑，「先生，你對女朋友很好喔。看你剛剛著急地把她背到急診室，就知道你很可靠。」

「她不是……」辛兆群想糾正護士的錯誤，卻被蔚藍制止。

「學長，我們走吧。」

她緩緩站起身，一手搭住辛兆群的肩，而他的手則摟住她的腰充當人肉拐杖。兩人親密地依偎彼此步出醫院，一心擔憂蔚藍的傷的他沒發現兩人的曖昧，而策劃一切的她只覺得這一跤跌得很值得。

「學長，不好意思，又麻煩你了。」她佯裝歉疚。

他無奈地笑，「我眞服了妳，走個樓梯也能摔斷一條腿。」

蔚藍低頭不語。對於刻意跌下樓梯的心機，大大小小的傷口只是表面上的結果，只有她自己知道良心被譴責的滋味。

不過，爲了將心愛的男人綁在自己的身邊，她已經不在乎自己是不是單純天眞的公主，她甘

願做那個受人撻伐的壞皇后。

兩人走到公車站牌下，蔚藍這才無辜地問：「爲了送我來醫院，放沛霖學姐鴿子眞的沒關係嗎？」

「完了！」他臉上的僵硬顯示出不安，「剛才急急忙忙的，我都忘了通知她。」

「不是吧！」她故作驚訝，其實早就發現他忘記通知周沛霖，只是刻意不提醒。「你已經遲到三個小時了，沛霖學姐會不會還在等你？」

辛兆群自口袋裡拿出手機，一點也不懷疑蔚藍口中的可能性，周沛霖這個傻大姐眞的可能因爲擔心他的安危而苦苦等候三個小時。

果不其然，手機顯示出二十三通未接來電，全是來自周沛霖。他趕緊撥出那組熟悉的號碼，想安撫她可能的焦慮。

「兆群，是你嗎？」電話那頭傳來周沛霖著急的嗓音，「你是不是發生了什麼事？人有沒有怎麼樣？」

她的擔憂讓他被愧疚淹沒。「別擔心，我沒事。對不起，一直拖到現在才打給妳。」

「沒關係，只要你沒事就好。」她心中的大石頭總算可以放下。「只是你到底怎麼了？我們不是早就說好要一起慶祝生日？」

「對不起，好好的生日就這麼被我搞砸了。蔚藍從樓梯上……」

「蔚藍？」她打斷他的解釋，「你在開玩笑嗎？我以爲你出了什麼意外，一顆心牽掛了好幾個小時，結果你只是在和你的小學妹廝混？」

「沛霖，妳冷靜點，聽我說……」

「聽你說？」她的憂心已被憤怒取代，「那什麼時候輪到你聽我說？」

「蔚藍從樓梯上跌下來，左腿骨折，難道妳要我放著她不管嗎？」他不是在爲自己找藉口，只是當時的情況，他眞的無法掉頭離開。

「辛兆群，你還搞不清楚問題的徵結嗎？」為了同樣的問題一吵再吵，她比誰都還要疲憊。

「重點不是她摔斷腿，也不是你該不該視而不見，而是爲什麼你會讓自己有機會去扛起這項責任。爲什麼她出事的時候，你會在現場？爲什麼和我約會的幾個小時前，你都還和你的學妹混在一起？」

一句又一句的「爲什麼」牽引起辛兆群的罪惡感。周沛霖已經不只一次要求他與蔚藍保持距離，是他充耳不聞，現在又怎能怪她借題發揮？

「爲了一個蔚藍，我做的退讓還不夠嗎？」她的聲音漸漸哽咽，「生日……一輩子就一次的二十二歲生日，我就在等待中耗盡了。接下來呢？我是不是還得和蔚藍共同分享一個男朋友？」

他一直都知道周沛霖有多介意蔚藍的存在，可他偏偏讓她毀了她的生日。關於這點，他百口莫辯。創傷已經造成，再來談心疼，是不是太遲了一點？

「沛霖，我跟妳保證……」不會再和蔚藍走得這麼近了。

可惜他的承諾尚未出口，就被周沛霖打斷。

「你的保證已經不可靠了。」

男人自知沒有反駁的立場，因爲他的承諾總是一而三再而三地被自己推翻。而女人想要的承諾也不是廉價的保證，而是一份理所當然的安全感。

「兆群，從什麼時候開始我們之間變成這樣？」

辛兆群沒有回答，答案太明顯了。從蔚藍出現的那刻起，他們的距離就越來越遠。

「這樣的我們還有一起走下去的必要嗎？」她問得沉重。

「什麼意思？」他的心免不了一陣慌。交往近六年，這是她第一次說出重話，兩人都明白這不是賭氣的威脅，而是眞切的筋疲力盡。

「我不是一個自卑的人，但自從蔚藍出現後，我的自信已經被消磨殆盡。」她苦笑，「不

是因為她比我美麗，而是因為我再也無法信心滿滿地昭告天下自己是那個唯一可以將幸福帶給你的人。」

周沛霖的控訴震住了辛兆群。他怎麼會沒發現，她的笑容一天比一天薄弱，她的開朗一天比一天勉強？兩個人的感情已經不是建築在彼此的幸福上，而是扼殺她快樂的源頭。

「對不起。」他皺起眉，自知這三個字彌補不了什麼。

「或許……」這個晚上，她聽到的抱歉已經夠多了，「我們應該分開一陣子，思考一下自己還是不是彼此的終點。」

周沛霖的提議讓他的心破了個大洞，不安的空虛奪走了他心跳的動力，愛情比他所想得還要脆弱。

他從來不曾質疑過周沛霖是否為他愛情的落腳處，自高一那年她的名字就已經烙印在他心中最深處，他比誰都肯定自己的幸福就在她身上。

「分開一陣子？那是多久？」他問，問得戰戰兢兢。

辛兆群將注意力全放在搖搖欲墜的感情上，沒發現蔚藍在聽見他提及「分開」二字時不經意流露出來的勝券在握。

「我不知道。」在他看不見的地方，周沛霖的臉佈滿挫敗，「如果冷靜之後，你還是覺得自己要的愛情在我這裡，就來找我吧。」

「不需要冷靜，也不需要短暫分開，我現在就可以告訴妳，我不要分手。」

蔚藍輕咬住下唇，原本握在手中的愛情因他肯定的口吻被震出一道裂痕。

「給我點時間，好嗎？」周沛霖無奈嘆氣，「我沒有你所想得那麼勇敢，面對一段已經動搖的關係，我也會有卻步的時候。等我有了肯定的答案，我便會自動走回你身邊。」語畢，她掛了電話，不給他辯駁的機會。

「學長……」蔚藍想開口說些什麼，卻在見

到辛兆群雙眼的空洞時打住。

然後，公車來了。一路上，誰都沒有能力打破那死寂的沉默。

蔚藍或許不是個成功的小說家，但無庸置疑的，她是一個厲害的編劇。

大學三年裡，她以「Blue」的筆名出版過幾本賣得差強人意的校園愛情小說。對她來說，這不是什麼難事，這個時候青春愛情故事正當道，不用太多經驗也不用太多情感，只需要馬馬虎虎的文筆即可。

這輩子，她沒對什麼事情執著過，畢竟以討好人爲目標的人生實在沒什麼值得用心經營的。唯獨面對辛兆群，她有一股異於常人的毅力，她的生命因爲這個男人的存在開始有那麼點不一樣。

因爲貪心，她爲原本沒有牽扯的兩個人寫了一部過度強求的劇本。故事內容很八股，不過就是將正牌女主角擠下位，讓她這個小配角取而代之。

在蔚藍以一隻腳作爲代價的搏命演出後，辛兆群與周沛霖正式陷入冷戰。誰說她賭得太大？對一個工於心計的女人而言，過程根本不重要，重要的是結果。

她將那兩人的相互折磨看在眼裡，或許是因爲身爲編劇，所以比他們都還要更清楚這齣戲的走向。

周沛霖終究還是太天眞了，提出暫時分開的要求對他們日益疏遠的關係一點幫助都沒有，只是讓兩人的隔閡越來越深。

聰明如蔚藍怎麼會不知道情敵的心思？周沛霖不過是想靠這樣的要脅讓男友與她劃清界線，然後兩人便能名正言順地言歸於好。

殊不知她下的是一步險棋，一步讓自己後悔莫及的險棋。從一開始的避不見面，演變到後來的僵持不下，現在則是難以收拾……

原本辛兆群已打算與蔚藍保持距離，卻在她

一次次央求下陪她到醫院複診直到拆下石膏，再加上周沛霖不知見好就收的賭氣，兩人的曖昧不明便故態復萌。

於是周沛霖的態度更加強硬，打死不低頭；不懂變通的辛兆群則非常聽話地守在原地等待；而蔚藍這個聰明的編劇則隔山觀火，等待最佳時機收網……

她剛洗完澡，坐在床沿擦拭溼漉漉的長髮，聽室友們聊著學校八卦。

蔚藍的手機響起，低頭查看發現是辛兆群，螢幕上顯示的時間是十一點五十分，不禁懷疑這男人怎麼會這麼晚打給她。

「喂。」她接起，因爲顧忌室友在旁而不敢喚「學長」。

「沛霖……」

只是輕輕的一句叫喚，蔚藍就搞清楚狀況了。這通電話不是打給她的，而是要撥給那個與他冷戰近一個月的女友。

她沒有出聲制止，只是靜靜地聽。

「我想妳……」沙啞的嗓音顯示出他的醉態，「妳回來好不好？」

蔚藍忍住酸楚想，一個月的隔閡仍不足以切斷這兩人的緣分，只可惜那個還在鬧脾氣的女主角並不知情。

或許連天都在幫她，才讓辛兆群陰錯陽差打給她。若眞讓周沛霖接到這通電話，她費盡心思佈下的棋局豈不功虧一簣？

「不要這麼快對我絕望。妳走了，我怎麼辦？」

蔚藍在心裡無聲回答，她走了，你的幸福由我接手。

然後電話被掛斷，傳來冰冷的「嘟嘟」聲。

她迅速將頭髮吹乾，換上輕便的外出服，和室友交代一聲便出門攔計程車。目的地是辛兆群承租的小公寓。

已

按了幾次門鈴都無人回應，她只好憑記憶在門口的盆栽下搜出備份鑰匙開門。

一進屋，她就聞到滿室酒氣，接著便見到一地的空啤酒罐。看來，在他打錯電話之前，這公寓裡上演的是借酒澆愁愁更愁。

她走進辛兆群的房間，毫不意外看到躺在地板上酩酊大醉的男主角，喃喃自語不知說些什麼，手裡依舊握著已失去回應的手機。

盯著他的憔悴容顏，她忍不住想問，周沛霖究竟是好在哪裡，值得他如此虐待自己？眞的有必要因爲失去這女人而茶不思飯不想嗎？

蔚藍彎腰，將他的一隻手臂放到自己的肩膀上，她的手穿過他的腋下扶住他的腰，以嬌小的身軀支撐起一個男人的沉重。

「沛霖……」即使醉得不醒人事，嘴裡仍然喊著那個名字。

她苦笑，明明兩人靠得那麼近，近得除了彼此的體溫什麼都感受不到，他的心卻還是裝不下她，即使那個讓他放不下的女人已經不在他身邊。

距離床鋪不過才幾步路，她已經走得氣喘噓噓。力量終於在靠近床沿時用盡，手忍不住放鬆，腳一絆便跌到床上去。

失去攙扶重心的辛兆群也跟著摔倒，整個人壓在蔚藍身上，軟趴趴地一動也不動，就這麼曖昧地與她貼著。

「起來，我快喘不過氣了。」她伸手推了他幾下，可惜徒勞無功。

蔚藍身上的肥皀香混入沉重的空氣裡，辛兆群的呼吸不斷被這幽香刺激著，酒精阻斷他的理智，現在他剩下的只有本能。

「可不可以不要起來？」他窩在她的頸邊，貪婪地吸取淡淡的女香，「我怕妳又跑掉……」

「辛兆群，」這是她第一次喚他的名字，「你知道我是誰嗎？」

「爲什麼我說了那麼多次，妳都不信？」他

細細啃咬她的頸，緩緩吻上她的耳垂，「我要的女人只有妳一個，周沛霖。」

「我不是……」話到了嘴邊，她卻住了口。

有那麼一瞬間，她想要掙脫這男人霸道的擁抱，制止這脫軌的演出。她用盡心機將他綁在身邊是爲了得到這份愛情的專屬權，而不是扮演另一個女人的替身。

然而這短暫的思緒還是不足以讓蔚藍推開這份她期待已久的親密。這個吻，她等太久了，等到心跟身體都痛了，爲什麼要迴避？

思及此，蔚藍捧起辛兆群剛毅的臉龐，在他的唇印上一吻。她以舌尖輕輕描繪他的唇形，表現得青澀且笨拙，空白的感情頁沒給她足夠的經驗去學習如何挑逗一個男人，依稀記得好萊塢電影都是這樣演的……

比起蔚藍的生澀，辛兆群的直接全是基於男性本能。他含住她的下唇，反覆啃咬。當兩人舌尖觸碰的那一刻，她的直覺反應是退縮，然而他的強硬卻不給她反悔的機會，舌在她的口齒間吸取蜜津。

其實她有點恐懼，如此狂烈的情欲對初嘗禁果的她是陌生的。但害怕的同時，她又捨不得將他推開，就怕這一推，兩人便再也沒機會如此靠近。她很茫然，雙手只能像個跌進急流欲抱緊浮木的人般攀住他的肩。

「沛霖，我想妳……」他一邊低喃，一邊以炙熱的手撫摸她。

我是蔚藍……她一次次在心裡吶喊，終究還是將這心酸藏起，獨自品嘗。

辛兆群的手開始往下移動，試圖解開蔚藍的牛仔褲，可惜失焦的視線讓他心有餘而力不足。於是她忍住難堪對他說：「我來。」然後顫抖地褪下長褲。

他解開自己的皮帶，欲望在燃燒，想要釋放的感覺太強烈，他根本等不及脫下衣服及褲子，便伸手扯下蔚藍腿間的底褲。

當他的男性象徵暴露在她眼前，除了恐懼，她根本感覺不到別的情緒。但再怎麼天眞，她都知道現在已無法喊停。

一個挺入，他埋入她體內。她痛呼，被撕裂的痛楚讓她感受不到情欲間的歡愉。而失去理智的他如脫韁的野馬在她的體內奔馳，直到欲望被發洩……

激情過後，辛兆群翻身，疲倦入睡。蔚藍蓋著棉被，睜大雙眼，望著天花板，然後一滴淚水終於忍不住跌出眼眶。

之後，每當聽見女性友人提起難忘的初夜時，她的記憶都會回到這一晚，停留在一室的酒氣和蔓延一身的恐懼與痛楚……

這賭注是不是下得太大？拿自己的初夜去換一個男人的眞心，多悲哀呀……

隔天早上醒來後，辛兆群與蔚藍隔著餐桌面對面坐著，空氣因兩人的沉默而凝重。誰都不願先開口，連呼吸都小心翼翼。

「我……」他手握著溫暖的咖啡杯，話卡在喉頭，無法成句。

蔚藍只是靜靜地看著他的慌張，她已經從兩人間的尷尬感覺到他的自責，不論是對她，還是對周沛霖。

「你很爲難吧？我知道你還在等沛霖學姐回頭，對我也沒有那種意思。既然昨天晚上只是一場錯誤，就不要再提起了，我們就當什麼都沒發生過。」她在測試，測試自己昨晚放棄一切換來的是什麼。

辛兆群對於那場激情的記憶是模糊的，若不是目睹床上的那抹落紅，他根本不敢相信自己眞的擁抱了這個他一直當作妹妹的女孩。

「怎麼可能當作沒發生……」他抱住頭，以沉重的口氣說。

她將他的懊惱看在眼裡。果然，那樣的擁抱不論對誰而言，都不是美麗的回憶。之於他，那是場無法挽回的錯誤；之於她，則是場條件交

換。

「不然還能怎樣？眞要爲了我跟她分手嗎？」

如果對象只是個陌生人，他或許可以瀟灑地將這意外當作一夜情。可惜，那個溫暖他身體的女人偏偏是他的小學妹，是那個周沛霖長久以來都視作假想敵的女人。他要怎麼若無其事地走回女友的身邊？

「說點什麼吧。」她的語氣幾近懇求，「告訴我，你需要多久時間冷靜？什麼時候你才會有個明確的答案？」

他抬首，看見蔚藍的無助，愧疚沉重得讓他喘不過氣。這預料之外的激情的始作俑者是他，因爲被酒精駕馭理智，因爲撥錯電話，因爲思念成疾，才讓這女人以自己的初夜作爲代價……

「妳希望我說什麼？」他低著頭，似在自言自語，「這種可惡的行徑，連我都沒辦法原諒自己，又怎麼指望幾句話就能得到妳的諒解？」

「學長，你沒有強暴我。」

「什麼？」

「昨天晚上，我多的是機會可以推開你，可是我沒有。」她扯出一抹牽強的笑，「你覺得是爲什麼？」

一個女人拿自己的純潔去撫慰一個男人的寂寥，還能爲什麼？辛兆群長久以來的自以爲是都因爲她那藏著太多秘密的問句而被瓦解了。

將近三年了……當全世界都將他們的曖昧看在眼裡時，他的反駁是多麼義正嚴詞啊！現在眞相大白了，蔚藍僞裝得太好，將他這個當局者徹徹底底蒙在鼓裡。

「因爲你要，所以我給。只是這樣而已。」

是，她曾經惶恐，就連兩人結爲一體的時候，她的心仍有一絲不確定。但是，她沒有後悔，從她決定爭奪這男人時，她就已經摒棄後悔這種天眞的情緒了。

選擇將事實道出，只因不忍心看他不斷責

備自己。而且，朋友這個角色演了四年也該是時候退幕了。她相信這男人過剩的責任感會讓這場戲繼續按著她所寫的腳本走，她從不做沒把握的事。

「你還是可以去追求你要的幸福，繼續跟沛霖學姐在一起。我從沒想過要你負責，在這個時代，男歡女愛本來就是件很稀鬆平常的事。」爲了放長線釣大魚，欲擒故縱這樣的戲碼，蔚藍已經演得駕輕就熟。

辛兆群擰起眉，「小藍，不要糟蹋自己，我們都知道妳沒有這麼瀟灑。」他心疼她爲了不拿一夜相擁束縛他所僞造出來的風情世故。

「除了自欺欺人，我還能怎麼辦？」眼眶蓄滿淚，將楚楚可憐詮釋得淋漓盡致，「我喜歡你，就算知道你有女朋友還是很喜歡……知道這樣會造成你的困擾，只好把這份感情藏在心底。想要擁抱你的感覺太強烈，縱使不會有結果，也捨不得將你推開……」

將近四年的磨練，她的演技已經到了爐火純青的地步。畢竟她連肉體都能當作佈局的一部分，出賣靈魂又算什麼？

從蔚藍愛上辛兆群的那刻起，她就注定當不成白雪公主，只能當那個對著魔鏡絞盡腦汁要害死美麗公主的壞皇后。即使故事的結局是壞皇后自懸崖跌落，摔得粉身碎骨，也無所謂。她甘願爲了愛情鞠躬盡瘁，只要確保公主誤食毒蘋果後，永遠沉睡……

辛兆群只是個普通的男人，沒有辦法對一個嬌弱女人的淚水置之不理，尤其那淚水還是因他而起。不可否認的，他一向堅定的心在這刻動搖了。

「給我點時間。」他將她輕擁入懷，帶著一絲不自在的僵硬。

童話故事改寫了，唯有爲所欲爲的壞皇后才能將幸福牢牢握在手中。

「我會和沛霖分手。」只有他自己知道這個

擁抱帶有多少抱歉，對那個他愛了多年的女人的抱歉。

他不怪蔚藍對他的錯愛，只恨自己給她太多錯覺，才讓三人走到今天的局面。他很清楚他和周沛霖回不到過去了，因爲他們之間已經少了最初的純粹，那種一輩子只認定一個人的純粹。

他已經因爲肉體的背叛對不起周沛霖了，如果連對蔚藍的感情都不能負責的話，他毀掉的就是兩個女人的幸福。而這樣的罪孽，他承擔不起……

「答應我一件事。」他疲憊地說：「離畢業只剩兩個月了，這段時間先不要公佈我們的關係，我不想讓沛霖在學校難堪。」

蔚藍瞬間從美麗的天堂掉進黑暗的地獄……原來，幸福從來都與她無緣。就連將她擁在懷裡的時候，他想的都是另一個女人的處境。

周沛霖握緊拳頭望著眼前的男人，「你再說一次……」

「經過這段時間的沉澱，我終於明白妳是對的。妳已經不是我想落腳的終點，我愛上蔚藍了，所以我們分手。」這段話辛兆群已經反覆練習很多次，總算說得毫無破綻，連自己都幾乎要被騙倒。

他的一字一句都殘酷地敲在她的心上，讓她痛得無法呼吸。顧不得兩人還坐在高朋滿座的咖啡廳，她揚手狠狠打了他一巴掌，力道大得讓他的左臉瞬間脹紅。

辛兆群不閃不躲，讓自己承受這預料中的怒氣。眞正痛的不是臉頰，而是另一個地方……

「爲什麼要分手……」她沒有餘力去注意四面八方的注視，只是一逕地哭，「我說過，等我有了答案就會去找你。其實我早就不在乎你那天的爽約了，只是賭氣而已，你怎麼就不知道哄哄我……」

是啊，在一起那麼多年，他爲什麼看不出她

的小小任性？就爲了想多給她點時間沉澱，冷戰無止盡拉長，然後造就一段錯誤的緣分……

「兆群，你是騙我的吧？」她顫抖地握住他的手，「那天你不是還說，我是你唯一想要的女人嗎？怎麼可能這麼快就改變主意？」

他甩開她的手，佯裝冷漠，「沛霖，別這樣，讓我們好聚好散。」

看著她的臉被眼淚淹沒，他連呼吸的力量都沒有了。放手不是因爲不愛，而是因爲太愛了，愛到捨不得用那雙抱過別的女人的雙手繼續擁抱她，所以只能隱藏眞心。只是，放開一份仍有溫度的愛情竟可以這麼痛……

「『我的快樂在哪裡，我就會在哪裡』這句話已經不算數了嗎？」她問。

「隨口說說的，是妳太認眞了。」他假裝滿不在乎地起身離去，將她一人留在眾人的指指點點中。

漫無目的地走在馬路上，感受身旁的車一輛輛呼嘯而過，辛兆群消極地希望有哪輛車可以就這麼把他撞死，讓他無需爲自己的一夜錯誤付出代價。

他的愛情，在他對周沛霖殘忍提分手時就死亡了……誰希罕就拿去吧。

5、冷暖

六年後

「再上面一點……嗯……往左靠一些些……好！就這樣！」蔚藍輕聲指揮，沒有大小姐的嬌縱，反而帶有那麼點小心翼翼。

「還有什麼地方需要我幫忙嗎？」將書架釘好後，辛兆群轉頭詢問身旁的她。

「這樣就行了，其他東西都安置得差不多了。」她伸手抽了張面紙，爲他抹去額上的汗珠。

辛兆群在她靠近的瞬間，微微僵硬了一下。

在一起六年的時間還是不足以讓他習慣這樣的親暱，他總是忘記眼前的這個女人是他的「女朋友」。

「雜誌社的工作很忙吧？還讓你特地回高雄幫我搬家。」她將水杯遞給他。

「沒關係，最近也沒跑什麼大新聞。搬家這種粗重的工作妳一個女人也應付不來，我正好回來看看我爸媽。」

辛兆群畢業之後便依照計畫到父親朋友的出版社工作，而蔚藍則待在學校直到完成最後一年的課程，然後繼續靠寫作維生。

然而，在蔚藍畢業的幾個月後，辛兆群無預警地告訴她自己要到台北就業。她想要阻止卻不知道怎麼對他說不，想要與他一塊離開也被徹底拒絕。

一直到現在，她都還是會偶爾懷疑這個男人選擇離開這片自己生長的土地，是爲了與她保持距離。她比誰都清楚他有多不適應兩人的關係，也知道他依舊忘不了舊情人，只是聰明地不說破。

當年他願意爲了周沛霖留在高雄，只因爲那女人對這裡有太多依戀。可是，在面對蔚藍時，他卻做了不同的決定。或許，她在他生命裡留下的印記還不夠深，至少還沒深到讓他將兩人的未來放在一起。

「妳呢？最近忙著寫什麼書？」兩人的對話不像是親密愛人，反倒像客套生疏的朋友。

「寫來寫去還不都是言情小說，換湯不換藥。」

他走向蔚藍剛擺上釘好書架上的小說，隨手抽出一本，「妳的筆名什麼時候改作『心情』？不是Blue嗎？」

「你對女朋友很不關心喔。」

辛兆群只是笑，沒有反駁。

「Blue是當年寫校園愛情小說的筆名，那間

出版社早就沒有合作了。」她將他手上的那本書放回原位，「現在改寫這種大眾言情小說，讀者下至國中生上至歐巴桑。難度又不高，反正都是有錢總裁愛上平凡女生，麻雀變鳳凰的老套故事。」

「既然寫得那麼無趣，何必繼續寫下去？」當年那個因爲出第一本書而飲酒狂歡的女孩已不復見。

「你什麼時候回台北？要不要我送你？」轉移話題的態度顯而易見。

「明天早上，我可以自己去搭高鐵。」

辛兆群在台北當記者已經有五年的時間。這幾年，他們總是聚少離多，談著平淡無味的遠距離戀愛。若不是蔚藍每兩、三個禮拜就北上去照顧男友的生活起居，他們之間的行爲模式根本就不像一對戀人。

「好累喔！」她側躺在床上，「這個星期忙著搬家，骨頭都快散了。」

他坐在她身邊，輕撫她披散在背後的長髮，「如果不是先前的房東要漲房租，其實我還滿喜歡妳那個小套房的。」

「可是我很滿意這間套房的地理環境，靠近捷運，走兩條路就有一間超市。」她默默享受兩人間難得的貼近。

「妳喜歡就好。一個女孩子自己住要小心點，知道嗎？」

「房東太太說要把樓下兩個空房間租出去，希望到時候不會遇到什麼難搞的室友。」她趴在他的大腿上，雙手悄悄環上他的腰，毫無意外地感覺到他的退卻。雖然短暫，卻明顯得足以傷人。

「有什麼好擔心的？妳不是很擅長交朋友嗎？在大學裡，妳可是人見人愛的校花，一定很快就能跟室友混熟。」他繼續未完的話題，暗自希望蔚藍沒有敏感地察覺到他肢體上的不習慣。

蔚藍在他看不到的角度勾起一抹苦笑。交往

六年了，這男人對她的認識終究還是太少，永遠都不懂藏在那討好微笑的背後是怎樣的沉重，也不明白她的僞裝其實根本不堪一擊。

怪誰呢？是她活該，一開始在他面前就塑造出一個與自己本質迥異的形象，所以才讓兩人日後的相處少了那麼點自然，多了那麼點假裝。畢竟，她才是那個逼自己戴上一張虛僞面具去接近愛情的人。

「今天留在這裡過夜吧。」她以細微的音量說，不敢望著他有意疏遠的眼睛。

他沉默了一下，「我已經跟我爸媽說好，今晚要陪他們吃飯。對不起。」

對於他的拒絕，蔚藍並沒有太失望。或許，在她開口提議之前就已經預料到他的反應了。一直以來，他都很少在她的住處過夜，兩人的溫存通常只在她到台北時發生。他們客套得連情人間最基本的激情都像例行公式。

「下個禮拜我去找你，到時候再好好補償我吧。」女朋友這個工作她一向做得稱職，連偶一爲之的任性都沒有。

辛兆群點點頭，沒將她的話放在心上。記者的工作往往讓他忙得連喘口氣的時間都沒有，蔚藍也很清楚，所以從不勉強他抽時間陪她。兩人都很明白下個禮拜的計畫只是說說而已。

「那我先走了。」他起身穿外套，「晚上睡覺前記得把門鎖好，明天我要離開的時候再打電話給妳。」

蔚藍送他下樓，行至門口時兩人按照慣例相擁道別。沒有離情依依，沒有依依不捨，這幾年下來，他們都很習慣這種分別的場面。

他往車子的方向走去，彷彿感覺到背後的注視，忍不住轉身看了依舊依在門邊的蔚藍一眼。第一次，他覺得這一直守在他身旁的女人的身影好孤獨，而那孤獨竟意外地扯痛他心的某個角落。

「怎麼了嗎？」她注意到他突兀的動作，以

爲他遺留了什麼東西。

他走到她身邊，傾身在她唇上印下一吻。雖然對交往六年的男女來說，這只是蜻蜓點水的一吻，可是這樣的主動對一個不懂浪漫的男人已算可貴。

他伸手揉揉她的長髮，「好好照顧自己。」

只有辛兆群自己知道這突如其來的親密包含著好多抱歉。他一直都知道蔚藍愛他，愛到不惜包容他所有的決定，愛到勉強自己接受他放不下的過去……

可是，這樣的愛情他卻無力回報，因爲他愛人的能力早在六年前就凋零。他可以疼她、寵她，就像過去一樣，但是他卻無法在心上空出一個位置給她。

如果蔚藍對他的感情沒有那麼深，他便能忽視那夜的錯誤纏綿，轉身離去。如此，他們都不必勉強自己守著一段冰冷死寂的關係，然後催眠彼此安於現狀。

偏偏她放不下他，而他對她的虧欠又太深。「分手」被過重的責任牢牢綁死，他怎麼樣都無法殘忍開口，只能任兩人在這少了火花的感情中漸漸枯萎。

蔚藍咬著下唇，望著辛兆群開車揚長離去。

「留在我身邊，眞的那麼辛苦嗎……」

她是個心思細膩的女人，又怎麼會看不出那溫柔的吻別所代表的意義？

因爲無法回應她的愛情，他只能以一次又一次的抱歉作爲回報。然而，他卻不知道那些沉重的壓力都被她看在眼裡，放在心上。

他的退卻總是三番兩次提醒她，兩人的緣分是她搶來的，而強摘的瓜本來就不甜。所以她不再強求，只要這男人還待在她身邊就好。

辛兆群從來都不懂她書寫愛情的理由，其實……很簡單。她的愛情是一場變調的童話，只能靠著自己筆下的「幸福快樂」釀造出一點點甜蜜撫慰自己……

蔚藍伸了個懶腰，將剛寫完的小說存檔，然後關機。抬頭看鐘，這才發現時間在她寫作時悄悄流逝，不知不覺已經到了清晨五點。

或許是因爲累過了頭，現在的她一點睡意都沒有，反倒是肚子有點餓。思索後，她換上輕便的衣服，決定到7-11買早餐。

將房門鎖上，走下樓梯經過兩名室友的房門時顯得小心翼翼，就怕製造出過大的聲響吵醒仍在熟睡的室友。

這兩個女生是這個月剛搬來的新房客，一個是夜不歸營的大學生，一個是朝九晚五的上班族。雖然互動的機會不多，但基本上都是好相處的人，大家住在同個屋簷下也沒有什麼太大的摩擦。

走在冷清街道，一陣陣寒風吹在蔚藍身上讓她忍不住拉緊外套。因爲是冬天的關係，既使是清晨五點多，天空仍舊是灰濛濛的一片，連太陽都在偷懶。

除了偶爾有幾輛車經過和一、兩個出來運動的人，整條街寂靜得詭異。正當她這麼想的同時，一名蓬頭垢面的男子走到她面前，破舊的衣衫襯托出他的狼狽。

「錢！」他掏出一把瑞士刀，指著蔚藍大喊。

男人搶劫的意圖太明顯，恐懼令她的思緒一片空白，她下意識張望四周，試圖尋求路人的救援。可惜，原本就沒什麼人的馬路在此時連小貓兩、三隻都沒有。

見蔚藍毫無反應，搶匪的面目更加猙獰，「不想死的話，就把錢給我！」

她從口袋裡掏出一百塊，顫抖地遞給搶匪。出來買個早餐，她身上的現金就這麼多，只希望這金額不會激怒他。

「一百？」搶匪睜大眼睛，「我說全部！把所有的錢都給我！」

「我眞的只有這麼多錢。」蔚藍強裝鎭定，但顫抖的聲音已洩露出她的恐懼。

「騙肖耶！」搶匪將刀子抵在蔚藍的脖子上，「妳是不是想死？」

蔚藍的鎭靜已在她脖子被劃下一道血痕時失去蹤影，失控大喊：「我眞的只有一百塊，信不信隨你！」

「妳眞的是……」搶匪握著刀子的手加深力道，動作卻在此時被嚇阻。

「喂！」一道洪亮的男聲自強匪背後響起，「把刀子放下！」

男人的嗓門太大，語氣又太有威嚴，令搶匪慌了手腳，瑞士刀自手中滑落。連一百塊都忘了拿，便落荒而逃，速度快得叫人傻眼。

「幹！跑那麼快，沒見過這麼卒仔的歹徒！」男人追了幾步就放棄抓人的念頭，回頭查看蔚藍的情況，「小姐，妳沒事吧？」

蔚藍抬頭望了伸出援手的男人一眼，不看還好，這一看，好不容易鬆懈的情緒再次緊繃了起來。

這男人有兩道帶著殺氣的濃眉，露在花襯衫外的肌肉與黝黑肌膚透露出他的剛強，再加上手臂上那尾青龍的刺青，一看就不是什麼善類。

「沒、沒事。剛剛……謝謝你。」爲什麼這男人明明是她的救命恩人，她卻有一種被威脅的感覺？

「妳脖子流血了。」他指著蔚藍的傷口說。這才注意到她清麗的臉，那雙大大的眼睛顯得楚楚可憐，完全激起男人的保護欲。

她輕輕摸了下傷處，「皮肉傷而已，不礙事的。」

「我的店就在前面，要不要先去那裡上點藥？」他熱心提議，江湖義氣不允許他對柔弱女子置之不理。

蔚藍原本想拒絕，反正她就住在附近而已，這點小傷她自己可以處理。可是剛才被搶的恐懼

依舊停留在她心裡，她根本就沒勇氣再次步上陰暗的道路回家。

「那就麻煩你了。」

他勾起一抹大大的笑，像是很高興蔚藍答應他的邀請，那靦腆與他手上嚇人的刺青形成強烈的對比。

男人打開寫著「洪興影視」的店門，欠身讓蔚藍進門，「幸好我正要出去買早餐，否則這種時候根本就不會有人經過那裡，妳一個女人家怎麼應付？」

「這裡治安這麼差，我以後不敢在這種時候出門了。不過剛剛還眞是謝謝你。」

「哈哈哈……」男人不好意思地摸著理短的平頭說：「只是舉手之勞。」

蔚藍這時候才發現這男人的殺氣原來只是表象，就連臂上的青龍都像是裝飾品一樣，他的憨厚根本與黑道扯不上邊。

「先拿雙氧水消毒，再上碘酒。」他從櫃檯裡拿出急救箱，「妳自己看不到傷口，還是我幫妳上藥好了。」

蔚藍不是不想拒絕，只是現在眞的不是逞強的時候，她是眞的沒有辦法在沒有鏡子的情況下自己處理傷口。

男人將雙氧水倒在棉花上，「可能會有點刺痛，妳忍一下喔。」那口氣彷彿將蔚藍當作易碎的玻璃娃娃。

他上藥的動作十分輕柔，完全不像一個穿著花襯衫的台客該有的架式。蔚藍爲自己方才對他的評價感到荒謬，人還眞不能只看表面。

「這樣就好了。」貼上紗布後，他對蔚藍說：「傷口盡量不要碰到水。」

「這間租片店是你開的？」爲了減少兩人間不熟的尷尬，她主動挑起話題。

「對啊。妳喜歡看電影嗎？我這裡ＤＶＤ的種類很多，除了好萊塢電影和港劇，還有你們女生愛看的日韓連續劇……」他傻氣地摸著自己的

頭，「不要誤會喔，我不是在推銷。當然，如果妳想辦會員卡的話，我也不反對啦。」

「沒關係。」她回他一記體諒的微笑，「我最近才搬來這裡，正好想找間租片店。可是我身上沒帶現金，如果要辦會員卡的話，可能要改天。」

「妳是說眞的嗎？不要跟我客套喔，我這個人很容易認眞的。」

看得出來，蔚藍在心裡想。正常人應該不會對剛認識的人表現得那麼熱絡吧？

「南哥，」一個穿著國中制服的男孩站在門口問：「你還沒打烊喔？」

南哥？看來這男人的江湖味不是只有表面，連稱號都那麼有殺氣，說他不是混黑社會都沒有人信。

「沒有啦，我正要出門買早餐，就遇到……」被稱作「南哥」的男人擺擺手，「算了，說來話長，改天再跟你說。現在才六點半，你怎麼那麼早就出門上學？」

「我們那個國文老師超變態的，說什麼快要月考了，所以拿早自習來補課。」男孩不滿地說：「幹！都沒時間睡覺了，他還嫌我們書讀得太少。」

少年順口的髒話讓蔚藍蹙起眉頭，現在的國中生都那麼沒禮貌嗎？

像是意識到她的不適應，南哥說：「小傑，嘴巴放乾淨點，我有朋友在這裡。」

蔚藍因他的話感到驚訝，不過就是短短一個小時的時間，這男人就已經把兩人的交情視作「朋友」。果然是個很容易認眞的人……不過從他在寒流裡穿著短袖短褲的行爲來看，這人的思維的確令人匪夷所思。

「什麼時候交女朋友了？」小傑這才注意到蔚藍的存在，「居然沒告訴我。」

「死小孩，胡說什麼！」南哥轉頭面對蔚

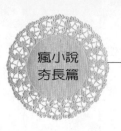

藍，臉染上一抹潮紅，「他開玩笑的，妳不要太介意。」

蔚藍笑著起身，「我想，我也該走了。」

「妳一個人回去沒問題嗎？要不要我送妳？」

「不用了，我就住在附近。」她離開時不忘對南哥說：「改天再來找你租ＤＶＤ。」

望著蔚藍離去的背影，南哥止不住傻笑。暗自期待起下次與氣質美女的見面，希望她的承諾不是只是隨口說說而已。

「南哥，人都走遠了，還看什麼看？」小傑搖頭。

當蔚藍第二次走進「洪興影視」，聽到的就是以下這段令人哭笑不得的對話。

「南哥，」臉上長滿青春痘，顯示賀爾蒙過剩，被同儕稱為「豆子」的男孩問：「熊貓打敗DevilJin的秘訣到底是什麼？」

「實力。」南哥的手指在ＰＳ２的搖桿上快速移動，語氣異常冷靜。

小傑大叫：「屁啦！你一定暗藏什麼絕招沒告訴我們。」

擺在櫃檯上小小的電視螢幕在此時寫著「You Win」，癡肥的大熊貓高舉雙手，長相帥氣的美男子倒在地上哀號，畫面是令人說不出的荒謬。

「靠夭啊！」南哥放下搖桿，轉頭對一群小毛頭大喊：「我可是從鐵拳第一代玩到現在的鐵拳5，才能擁有今天的地位。你們憑什麼跟我談絕招？」

蔚藍憋著笑。一個長相穿著都像黑道中人的三十歲男子竟然因自己以一隻熊貓擊倒「鐵拳」的大魔王而沾沾自喜，那群圍繞他的國中生眼裡全散發著崇拜的光芒。

「南哥，你什麼時候要買ＰＳ３？我們等不及要玩鐵拳6了！」留著搞怪髮型，眼睛被長長瀏海遮住的阿健問。

「你們當我是凱子？一天到晚來我這白吃白喝的，現在還來這裡玩免費電動！還鐵拳6咧！就是因爲養你們這群廢物，我才存不到錢。」南哥拍桌大罵，將大哥的氣勢展現得淋漓盡致。

小鬼們根本不將他的叫囂放在眼裡，只顧著搶ＰＳ2的搖桿，進行大熊貓與Devil Jin的終極大ＰＫ。

「南哥，你朋友喔？」豆子因爲沒搶到搖桿，才發現一直站在櫃檯前的蔚藍。

原本鬧烘烘的一群人全在此時安靜下來，將注意力放到根本不應該出現在「洪興影視」這種低俗場所的氣質美女身上。

「妳眞的來了？」南哥站起身，色彩鮮豔的襯衫沒扣上鈕子而露出衣服底下的汗衫，腳下踩著台客必備的藍白拖。

相形之下，穿著針織洋裝和馬靴的蔚藍完全像是另一個世界的人。

「嗯，我來辦會員卡的。」她逼自己忽視那群國中生將她視作動物園猴子的無禮眼神，以及眼前男人的詭異穿著。

南哥從抽屜拿出申請表給蔚藍，大大的笑容顯示出他的喜悅，「妳來很久了嗎？」

「大概……十分鐘左右吧。」她低頭填寫資料。

沒注意到南哥的表情僵硬，嘴角微微抽搐。天啊，那剛剛那些白痴的對話不就全被聽見了嗎？去他的大熊貓！

「南哥的馬子喔？」豆子低頭詢問小傑。

「應該不是吧。」小傑聳聳肩，「你不覺得他們的互動超不自然的嗎？」

阿健八卦地湊上一腳，「氣質美女耶！完全是南哥喜歡的型。」

「拜託！這種組合完全是伍佰配上桂綸鎂，有夠不搭的！」豆子說完後，三人隨即笑成一團，讓話題中的男女一頭霧水。

「蔚藍？」南哥接過她填好的申請表，「人

有氣質果然連名字都不一樣……」

「會嗎？我小時候還覺得自己的名字很怪。」她感到一絲尷尬，只好勉強地轉移話題，「你叫南哥，對吧？」

「妳不要叫我南哥啦，我們年紀差不多，這樣很怪。」他帶有一點害羞，摸著自己的後腦勺說。

「那我該怎麼稱呼你？」這個黑道老大的靦腆怎麼看怎麼怪。

「南哥，你什麼時候在意起別人對你的稱呼？」小傑此時的吐槽顯得刻意。

「就是說啊。」豆子在一旁附和，「南哥南哥，聽起來多殺啊！」

在蔚藍看不見的櫃檯底下，他狠狠踩了豆子一腳，臉不紅氣不喘地說：「劉一勤，叫我一勤就好了。一二三的『一』，勤奮的『勤』。」

此話一出，又惹得小鬼們一陣鬨堂大笑。哈哈哈……什麼劉一勤，南哥的本名已經八百年沒被人叫過，現在聽起來都讓人滿身雞皮疙瘩。

「劉一勤？」蔚藍不解，「那他們爲什麼都叫你南哥？你的名字並沒有『南』這個字。」

「銅鑼灣扛霸子，陳浩南，人稱南哥。」

劉一勤嚴肅的口氣再次讓男孩們笑得東倒西歪。雖然這席話他們已經聽過上百次，但聽南哥親口對氣質美女說出來又是另一回事。

「什麼？」看這群孩子笑到噴飯的樣子，這……應該是個她聽不懂的幽默吧。

「哈哈哈……南哥，你白痴喔！」阿健笑到岔氣。

「還是讓我來解釋好了。」小傑裝模作樣地清清喉嚨，「蔚藍小姐，妳看過古惑仔電影嗎？鄭伊健飾演的那個角色就叫『陳浩南』，那男人可是南哥的偶像。所以我們就從善如流，叫他南哥。」

雖然蔚藍看不到自己的表情，但她一點也不懷疑她的臉上正寫著「茫然」兩個字。什麼古

惑仔？陳浩南又是誰？天地會幫主陳進南的弟弟嗎？

劉一勤一生中從沒有像現在這麼窘困，看著不斷狂笑的死小孩，再加上蔚藍一頭霧水的表情，他竟有種想撞牆一了百了的衝動。

「不好意思，我沒看過你們說的那部電影。」蔚藍說。

「妳沒看過《古惑仔》？」劉一勤和三個小鬼異口同聲大喊。

「是、是啊……」蔚藍被他們的氣勢嚇到。聽起來，《古惑仔》應該是一部跟《鐵達尼》、《阿凡達》不相上下的經典電影。

豆子搖搖頭，「看妳一副飽讀詩書的樣子，居然連古惑仔都不知道。汗顏啊……」

「有這麼嚴重嗎？」

「超嚴重的！《古惑仔》可是被評比為人生必看的一百部電影之一。」阿健說得義正詞嚴，其實根本是隨口胡謅。

「這樣啊……」蔚藍受教地點點頭，「那我今天借回家看好了。」

「我決定了！」原本沉默的劉一勤突然振奮地站起身，「今天我們全部留在『洪興』熬夜看古惑仔！」

不是吧？蔚藍不自覺地打了一個冷顫，她一點都不想將寶貴的時間浪費在不熟的台客老大和一群乳臭未乾的小鬼身上。

「Yes！」小傑大聲歡呼，「熬夜看《古惑仔》最讚了！」

阿健點頭，「看古惑仔電影，就是要一次看六集，一間斷整個氣勢就沒了。」

「你……剛剛是說六集嗎？」蔚藍被這驚人的數字嚇傻。

「其實一共是九集。」劉一勤熱心地為她解惑，「還加上三集外傳。」

九集？哈利波特都沒那麼誇張。如果以一部電影兩個小時的時間來算，九集也就是十八個小

時……天啊，誰有那個美國時間跟他們耗？

「你們明天不是還要上課嗎？」蔚藍僵硬地問：「熬夜看電影不好吧……」

「蔚藍，明天可是星期六。」劉一勤的話將她最後一絲希望徹底抹滅，「他們這群小孩每個星期五都在我這裡混，不用爲他們擔心。」

她是爲自己煩惱，好嗎？漫長的十八個小時……這個陳浩南到底是何方神聖？

「小傑、豆子，你們去買鹹酥雞！阿建去看店！」熱血沸騰的劉一勤完全沒注意到幾乎暈眩的蔚藍，依舊自作主張地招呼著。

看著幾個莫名興奮的青春期少年和那個帶頭的花襯衫台客，蔚藍只覺得自己的眼前一片黑暗。她不懂拒絕人的這個壞習慣在經過六年後，依舊沒有改變。

「爲什麼我要留下來看店？」阿健的臉皺成一團，對這結果表示不滿。

劉一勤說：「願賭服輸。」

今天是星期五，「洪興影視」的生意很好。身爲老闆，他不能任性地拋下店裡的一切，就爲了看那套已經看過上百次的《古惑仔》。

男子漢就得用男子漢的方式解決——鐵拳。阿健那隻號稱鐵拳界最強的Devil Jin剛剛慘敗在劉一勤的大熊貓手下。於是當大家準備興匆匆地去看電影時，他就只能一個人孤零零地留在櫃檯看店。

「有沒有搞錯啊？」阿健大喊時，額前的劉海也跟著輕微飄動，「南哥明明才是『洪興』的老闆。爲什麼現在卻變成我的責任？」

「功夫不夠札實，這就是你失敗的原因。兄弟，這是個講求實力的時代。」

見他們吵得不可開交，蔚藍眞的很想說：「不然我來看店好了。」

「蔚藍，不要理他。」劉一勤起身走到租片店的尾端，「來看世紀經典大戲。」

雖然不知道這台客葫蘆裡賣什麼藥，她還是

乖乖地跟上去。

劉一勤打開一扇木門，映入蔚藍眼簾的是一幕不可思議的畫面。一個十坪大小的房間，牆上掛著五十吋的液晶電視，左右兩邊是高級的hi-5音響。一張L型的眞皮沙發擺在房間的正中央，地上還誇張地鋪著地毯。

「這是……」小型電影院嗎？

「很屌吧？」小傑買了鹹酥雞回來，「這大概是南哥這輩子唯一做過的正經事。」至少比混黑道來得正經。

「哈哈……」劉一勤顯然將小傑的話當作稱讚，靦腆地對蔚藍解釋：「這沒什麼啦，我就住在樓上而已。這裡空著也是空著，我才想說搞個視聽間。」

她不知該做何反應。一個其貌不揚的士台客居然有辦法在小小的租片店後面弄出一間小戲院，這個人的行爲模式完全不是正常人可以想像的……

豆子將這裡當自家客廳，「現在都十點了，我們趕快放《人在江湖》，不然要看到民國幾年。」這是古惑仔系列的第一集。

聽見這番話，她才曉得這群男人有多認眞。他們是眞的打算耗一個晚上的時間看九部電影，甚至連視聽間都拿出來招呼她。

《古惑仔之人在江湖》開始播放，她連劇情都還沒搞清楚，陳浩南和山雞就已經拿西瓜刀砍人了，中間還穿插戲劇化的熱血音樂。

蔚藍爲自己方才的想法感到荒謬，這種低成本的電影怎麼跟《阿凡達》的大場面比？果然，台客老大的水準也只能如此。

一個多小時後，劇情演到陳浩南和山雞找上坤哥報仇的片段。蔚藍有一口沒一口地吃著桌上的零食，慢慢理解這幾個大男孩爲何對這套電影如此推崇。

裡頭過度誇張的英雄主義足以沸騰起每個男人的滿腔熱血……唉，有夠幼稚的。她想，辛兆

群應該不在這群長不大小孩的行列裡。

她身邊傳來一陣打呼聲，那個說要熬夜看通霄的小傑在第一集的尾聲正式向周公報到，至於把《古惑仔》當《聖經》的豆子也在第二集開始不到三十分鐘時投降了。

「《人在江湖》有點無聊吧？」劉一勤起身扭動筋骨，對蔚藍帶有一絲抱歉地說，「可是看了《猛龍過江》之後，妳就會徹底迷上了，我不騙妳。」

她只是微笑，沒說什麼。拜託！這種電影不管看幾集，她都不可能迷上，好嗎？劇情還不都大同小異，跟她筆下的言情小說一樣，換湯不換藥。

恥笑的話才剛在心裡響起沒多久，蔚藍就知道自己大錯特錯了。看了第二集後，她才知道第一集的內容只是鋪陳，眞正的高潮全在《猛龍過江》。她完全被緊湊的劇情吸引。

「妳看，我沒騙妳。」劉一勤見到蔚藍目瞪口呆的表情，「眞的迷上了，對吧？」

「比我想像中的，好看太多了！」

「我介紹這套電影給十幾個人看過，每個人都這麼說。」他拿出ＤＶＤ，準備播放下一集，「大家都以爲古惑仔是低成本的爛片，其實只是因爲他們不懂而已。看電影就跟看人一樣，不能只看表面。」

他的話令蔚藍感到心虛，不敢承認自己原本也有這樣的想法。

「我覺得啊，一部好電影不是講求藝術還是美感。而是能不能在觀眾心裡留下震撼，對他們的人生有那麼一點改變。那種所謂的小眾電影只是導演自我滿足的作品，要拍一部讓大家都喜歡的電影才眞的叫厲害。」

原來，土台客的腦袋裡裝的不只是漿糊，能說出一席這麼有想法的話完全出乎她意料之外。其實看久了，他的花襯衫也不是這麼礙眼。

她點頭附和，「拍一部得了世界大獎但人

家根本叫不出片名的電影，一點意義都沒有。贏得觀眾的掌聲比贏得評審的青睞還要來得更重要。」

「我還以為像妳這麼有氣質的女生應該都會欣賞什麼得過柏林獎、金熊獎的藝術片，沒想到《古惑仔》也在妳的接受範圍內。」

「其實剛開始的時候，我也有點受不了。」她老實承認，「不過，山雞在《猛龍過江》裡的表現太帥了，尤其是開槍殺丁瑤的時候。」

「什麼？妳喜歡山雞？」他大失所望，「陳浩南比較帥吧？」

她開玩笑地說，「他不是我的菜。」

兩人正準備看第三集時，阿健睡眼惺忪地闖了進來，「南哥，我好累。你自己看店啦，我要回家睡覺了。」

蔚藍看見時鐘上的短針正指向三。原來不知不覺已經這麼晚了，《古惑仔》的確有讓人廢寢忘食的本事。

「你再幫我看一下店。」劉一勤將電視關掉，「我先送蔚藍回家。」

「那他們兩個怎麼辦？」蔚藍指著在沙發上睡得東倒西歪的小傑與豆子。

「沒關係，他們爸媽知道他們在這裡過夜。」他已經習慣當這群國中生的保母。「不好意思，耗了妳一整個晚上，很累吧？」

「這沒什麼的。我因為工作常常熬夜，整個晚上不睡是常有的事。」

兩人走出「洪興影視」，將正在打瞌睡的阿健留在櫃檯。她看了《古惑仔》才知道，劉一勤因為對這電影的癡迷，連店名都是從陳浩南隸屬的「洪興幫」擷取。

「妳是做什麼工作的？」他讓蔚藍走在內側，盡忠職守地扮演護花使者。

「寫書。」她輕描淡寫，不好意思將「作家」這個稱號掛在嘴邊。

「也太厲害了吧！」他瞪大眼睛，表情滿是

崇拜，「難怪妳的氣質那麼好，有念過書果然不一樣。」

「我……沒你說得那麼偉大。」她感到一絲心虛，「不過就是迎合市場的言情小說而已。坊間裡隨便抓都有一大把，毫無價值可言。」

「我不是說過了嗎？自娛娛人的作品誰都寫得出來，可是寫出一本被大眾所接受的書比所謂的藝術價值還要重要多了。」

「你眞的是個好人。」雖然對一個手上紋著青龍的男人這麼說有點可笑。

他的臉散發出害羞的潮紅，「如果妳早十年認識我就不會這麼說了。」

蔚藍聳聳肩不置可否，沒興趣追究這男人的過去。「我家到了，謝謝你送我回來。」

「妳……還會再來『洪興』嗎？」他抱有一絲期待，卻不敢表現得太明顯。

「別忘了，我可是『洪興』的會員。再說，我還等著看《古惑仔》的後續發展。」

劉一勤因蔚藍的保證笑得滿臉燦爛。某些東西……正在他心中悄悄滋長。

辛兆群正在趕一篇幾個小時後就要截止的貪污弊案新聞，卻還得分神歪著頭以肩膀夾住電話聽蔚藍說話。其實，有大半的內容都是左耳進右耳出。

「所以……《古惑仔》眞的是一部很熱血的電影，改天我們去租第三集一起看，好不好？」她忘記和劉一勤的約定，迫不及待想與男友分享。

「妳高興就好。」他在鍵盤上敲打著，記錄名嘴幾天前在政論節目裡的報料。

「我以前都很排斥看港劇，可是現在……」

「小藍，」他在她的興致勃勃上澆了一桶冷水，「這篇新聞眞的很趕，如果沒什麼重要的事，我們改天再聊。」

「對不起，我不知道你在忙。」這六年來，

她早已習慣他將所有心思擺在除了感情以外的事物上。

「沒關係，妳早點休息吧。」電話迅速被掛斷。

眞的有這麼忙嗎？她甚至還來不及跟他說再見……

那天和劉一勤道別後，兩人已經一個星期沒碰面。這段時間，她忙著寫完即將出版的小說，幾次修改後才滿意，將結局交給編輯。

和一個不過見了兩次面的男人一週不見是很正常的事。可笑的是，同樣的七天，她和辛兆群也沒有聯絡。她因爲趕稿而抽不出時間打電話問候他近況，而身爲男友的他竟也沒想過主動問問她過得好不好。

這段感情開始前她就知道這顆強摘的瓜不會甜，也以爲小時候的經驗已經教會自己被冷落的感覺……只是她似乎還是沒辦法將被遺忘的滋味品嘗得甘之如飴。

當蔚藍躺在床上盯著天花板時，刺耳的手機鈴聲打斷她的寂寞思緒。螢幕上顯示的是一組她毫無印象的陌生號碼。

「請問……是蔚藍嗎？」聲音的主人過分客套。

「我是。」這嗓音很熟悉，但她依舊想不起是誰，「你是……？」

「劉一勤啦。」他因爲沒被記牢，悶悶地說：「妳睡了嗎？」

她感到好笑，「現在才八點多而已，這個時代沒有人會這麼早睡。」

「哈哈哈……妳在忙嗎？如果沒事的話，要不要來『洪興』看《隻手遮天》？」

「《古惑仔》第三集嗎？」原本……她是想跟辛兆群一起看的。

「對啊。這可是整個系列最感人的一集，我保證妳會看到流眼淚。」

上次蔚藍答應他會再過來看《古惑仔》的後

續發展，可是經過一個禮拜後卻遲遲沒出現。經過深思熟慮後，他好不容易鼓起勇氣照著她在會員申請表留下的號碼打給她。只是聽到她輕柔的嗓音後，擔心被拒絕的恐懼竟加倍擴大。

「怎麼樣？妳要過來嗎？」等待答案時緊張得連掌心都在冒汗。

「等我十分鐘。」她沒多加思考便答應了。剛剛被辛兆群敷衍的感覺太令人心寒，再加上星期五的夜晚，室友們都出去狂歡，她也不想一人留在套房裡。

「真的嗎？」他太開心了，「慢慢來，我等妳。」

劉一勤的笑容停留在最大弧度，沒辦法，這一刻他已經期盼了整整一週。尤其當蔚藍在「洪興影視」的店門出現時，他覺得自己都要昏倒了。

「等很久了吧？我去買飲料，所以晚了點。你喜歡喝珍珠奶茶嗎？」不好意思老在劉一勤這裡看免費電影，小小的奉獻才不會讓自己有占他便宜的感覺。

「喜歡。」他笑著摸後腦勺。這就是所謂的受寵若驚嗎？

「小傑他們沒來嗎？」

「那群小鬼下個禮拜要月考，這幾天都被父母逼著念書。」他用盡全力才沒將與蔚藍獨處的喜悅表現得太明顯。

「這樣不就沒有人來幫你看店了嗎？」

他的表情有絲窘困，「所以今天不能在視聽間看《古惑仔》，只能在櫃檯用這小電視看。妳不介意吧？」

想見蔚藍的衝動太強烈，他沒仔細多想今晚根本就不是邀請她的好時機。眼下這情況讓自己好怕被她拒絕，可是又覺得要她陪他窩在這小空間好委屈。

「沒什麼好介意的，只要不打擾你做生意就好。」她本來就不是一個講究的人，今晚也只是

單純不想一個人度過，在哪裡看電影都沒差別。

「不打擾、不打擾。」氣質美女好體貼，連這種時候都還在爲他著想。

「那我們開始吧，我等不及想看你說的感人劇情。」

兩人擠在狹小的櫃檯裡，面對一台小小的平面電視。劉一勤坐在蔚藍的斜後方，這個角度可以讓他視無忌憚地望著她的背影。因爲過度靠近的關係，只要他稍微用力呼吸，她的髮香便會竄進他的鼻息間，令他心跳加速。

蔚藍全心投入於陳浩南與烏鴉的爾虞我詐，絲毫沒察覺身後男人的注視。相較於她的專注，劉一勤根本沒將心思放在電影上，整個人被這自己營造出的甜蜜包圍。

某位來租布袋戲連續劇的禿頭老伯用台語問：「南哥，妳女朋友喔？」

「朋友啦，朋友而已。」害羞之情溢於言表。

之後一位來歸還DVD的大學生打趣地對他說：「南哥，妳女朋友很漂亮喔。」

「哈哈……我們只是朋友。」

整個電影的播放過程，不時能聽到租片店客人的曖昧詢問。蔚藍沒放在心上，劉一勤卻被誤會得好高興，到最後甚至不想解釋。

然後，《隻手遮天》進入劉一勤所說的高潮。反派角色烏鴉亂槍打死女主角小結巴，陳浩南陷入失去摯愛的瘋狂。

「陳浩南很癡情吧？」劉一勤坐在蔚藍身後，看不到她的表情，不知道她有沒有掉淚，但他想女人通常容易被這類的劇情感動。

「山雞好ＭＡＮ。」她沒聽清楚劉一勤的話，只看得到此刻綁著炸彈衝進敵人陣營解救陳浩南的山雞，小結巴的死對她沒什麼影響。

第二次……這是蔚藍第二次忽視陳浩南的帥氣，投入山雞的懷抱。劉一勤被挫折擊垮，不懂爲什麼氣質美女不喜歡霸氣又痴情的南哥，卻執

著於如痞子的山雞。

電影結束之後，劉一勤跟上次一樣陪蔚藍走回家。明明只有十分鐘的路程，他卻故意拖慢腳步，只為和她多相處一點。

「蔚藍……」他欲言又止，「我是想說，妳住的地方離『洪興』這麼近，如果……」

「如果什麼？」

「如果……妳覺得無聊的話，可以來找我看電影。我們不一定要看《古惑仔》，妳想看文藝片還是喜劇都可以。」

「好啊。」

蔚藍的應允讓劉一勤滿心雀躍，暗自希望她每天都感到無聊，每天都來報到。

「還有就是……」站在蔚藍的住處門口，他介意地問：「妳為什麼喜歡山雞……我是說，女生不是應該都比較喜歡陳浩南那樣的痴情種嗎？」

痴情種？不，從愛上辛兆群那刻起，她便憎恨起這三個字。因為他對周沛霖的癡情造就他對她的無情，所以她的愛情永遠都像一塊沒有溫度的冰。雖然這樣的結果早就在預料中，但要習慣，談何容易？

「一勤，」她淡淡地說：「我討厭痴情的男人。」

經過兩個月的相處，劉一勤和蔚藍漸漸熟稔。「洪興影視」的營業時間是下午六點至凌晨四點，與蔚藍日落而做日出而息的生活習慣相似。兩人的交集因為巧合開始於黎明。

劉一勤這個粗人面對嬌生慣養的蔚藍就像對待一尊易碎的玻璃娃娃，將憐香惜玉四個字發揮得淋漓盡致，小心呵護兩人好不容易建立起的友情。

雖然幾次被租片店客人誤會成情侶滿足了他小小的幻想，但他終究不忍心讓她擠在狹小的櫃檯中看電影。他們說好，當「洪興」打烊，而蔚藍的寫作進度又告一段落，兩人再開始電影約

會。當然，「約會」這個詞是劉一勤自己加上去的。

也許是因爲牽起兩人緣分的那場搶劫驚魂太難忘，他總是不放心讓她自己一個人走夜路。他會固定在凌晨四點的時間傳簡訊問她「睡了嗎？」，如果答案是否定的，他便會到她的住處接她，然後在視聽間享受兩個多小時的獨處。

「今天我們看什麼？」

「《大智若魚》。保證讓妳熱淚盈眶。」

「拜託，上次看《特攻聯盟》的時候你也這麼說。」這男人所謂的「感人肺腑」往往不是常人能理解的，這件事也是在認識他一個月後才明白的。

「這部片眞的很棒，相信我。」

自從劉一勤知道蔚藍對陳浩南的癡情有莫名的偏見後，他就不讓她看《古惑仔》，以免她對山雞的情有獨鍾擴大。

當她詢問原因時，他只是不自在地說：「第三集之後就沒什麼好看的。」蔚藍也識相地不去探究這台客獨樹一格的邏輯。

電影開始播放，畫面進入提姆波頓創造的奇幻世界。蔚藍被天馬行空的故事內容佔據了心神，劉一勤則因爲身旁不斷傳來的女香無法專心於電影上。

每次在這種時候，他都會覺得自己好幸福。一個美女作家不但不嫌棄他沒什麼內涵的談吐、青面獠牙的長相，甚至還願意陪他看電影，成爲他的紅粉知己。

和她相處的時間越久，他就越被她的美麗吸引。及腰的長髮有種說不出的浪漫，大大的眼睛總是不經意流露楚楚可憐，細白的肌膚將她的公主氣質襯托得更甚，再加上那喊著「一勤」的軟軟嗓音……蔚藍根本就是他的女神！

「一勤，你還好吧？」電影進行到一半，蔚藍伸手要拿爆米花時，注意到他正傻傻地盯著她看，忍不住問。

「沒事、沒事。」潮紅在他臉留下痕跡，幸好視聽間的黑暗沒洩漏出他的秘密。

蔚藍只是將視線轉回螢幕上，沒對他的不自在發表評論。

她一直都是個精明的女人，又怎會感覺不出劉一勤對她的愛慕?尤其這傻瓜掩飾的技巧這麼拙劣，連那群遲鈍的國中生都看得一清二楚，她只是不戳破罷了。

就因爲她是個女人，所以她需要愛情的滋潤，而劉一勤所給予的是她在辛兆群那裡得不到的熱情。當然，她愛的人還是辛兆群，畢竟這件事在他們第一次見面就已經注定。劉一勤之於她，不過是個提供她女性虛榮的角色。

也許她的心態很卑鄙，她的行爲甚至可以被解讀爲利用。但是她眞的太寂寞了。男朋友所給的永遠都是疏離，她才會想在另一個男人身上尋找被愛的感覺。

不過，她很清楚自己不可能愛上劉一勤。有些人的愛情可以分成許多部分，分別在生命的不同階段消耗；然而她的愛情則是個不能切割的圓，一輩子只有一次的完整奉獻，一旦付出了就沒有收回的可能。

「蔚藍，妳餓不餓?」電影結束時，劉一勤問：「我們去吃燒餅油條，好不好?」

「現在?」平時看完電影都差不多是六點多，他們向來都是隨便地在7-11買個早餐吃，今天有什麼特別的嗎?

「嗯，現在去都嫌晚。那間店在鳳山，生意超好。通常四點出爐時就已經有人排隊了，熱呼呼的鹹燒餅非常搶手。」

「鳳山離這裡很遠耶。」從高雄前金區騎機車到鳳山少說都要三十分鐘，再加上冬天清晨的寒冷……她對燒餅油條的興趣眞的沒這麼大。

「相信我，那裡的燒餅油條眞的值得妳越過千山萬水。」

蔚藍知道自己抵不過劉一勤的固執，忍不住

發出一陣呻吟。

「走啦走啦。」他把她拉出店門，將她安置在機車後座。「放心，我的騎車技術超好，絕對讓妳坐得安安穩穩。」

拜託，誰擔心這個？她只想要回家躲進溫暖的被窩睡覺，而不是跟這個做事不經大腦的土台客去吃什麼燒餅油條！

一開始，劉一勤騎車技術眞的像自己所說的安穩。可是蔚藍的手一直抓著車身後的支架，讓他原本期許佳人的摟抱落空。心急之下，他油門一催，讓背後的女人措手不及，直覺反應下驚恐地抱住他的腰。

計謀得逞後，他勾起一抹自我讚賞的笑，默默享受那雙手放在他腰上的感覺。她很快便察覺他的心機，於是不著痕跡鬆開手。這男人……一點都不打算隱藏自己想吃她豆腐的意圖。

到了早餐店後，劉一勤點了兩套燒餅油條、兩塊鹹燒餅還有兩碗熱豆漿。

「這樣會不會太多了？」蔚藍望著分量驚人的早餐問。

「因爲我不知道妳喜歡吃什麼，就乾脆每樣都來一份。」他摸著後腦勺，「如果吃不完的話，我會解決啦。反正這麼好吃，要我吃十份也沒關係。」

她拿起一塊鹹燒餅，咬了一口。濃郁的菜香在嘴裡綻放，鹹鹹的滋味停留在舌上不肯散去。

「很好吃吧？現在是不是覺得忍著寒風刺骨騎車來鳳山吃早點很値得？」

她喝了一口溫熱的豆漿說：「我有穿外套，不覺得冷。倒是你，整個冬天都穿著短袖，你的皮眞的有那麼厚嗎？」

「哈哈哈……」他開口說話的同時，已經解決了小小的燒餅。「這種冷跟監獄裡的低溫比起來根本就不算什麼。」

「你坐過牢？」她看著眼前的油條，張口咬也不是，放下也不是。

「有這麼驚訝嗎？我以爲我身上的刺青就是最好的證明。」

「第一次見面的時候，我確實這麼猜測過。但是，跟你相處了一段時間後，我就覺得你的個性跟黑道一點都扯不上邊。」

「人的個性是會變的。」他吃起油條，滿不在乎地說：「年輕的時候不懂事，只覺得有大哥罩著很屌，打打殺殺很帥，根本沒想過後果。之後大哥殺了一個角頭老大要被判刑，他掌管太多人的生計，不能去坐牢。他說只要願意頂罪，出來後他願意升我作堂主。」

「然後你就答應了？」有沒有那麼笨？因爲堂主的地位不惜拿自己的青春去換？

他點點頭，「那時候我才十八歲，根本沒想那麼多。妳恐怕不知道堂主在台灣黑道裡是多崇高的地位，對當時的我來說，就算要我拿命去拚都可以，更何況只是坐幾年牢。再說，黑社會講求的是義氣，如果做老大的都提出了這樣的要求，就算沒有交換條件，你也沒資格拒絕。」

蔚藍覺得他的思想蠢斃了！不論堂主的地位多吸引人，都不該犧牲自己的人生。

「之後我就被判『義憤殺人』，關了五年。當時作決定的時候很衝動，但是眞的被關進去之後，每一天都是煎熬。我很後悔，後悔拿生命裡最珍貴的五年去作一個英雄夢。」

「那現在的你怎麼沒變成堂主？該不會是被騙了吧？」

「哈哈……我大哥很有義氣，不可能拿這種事跟我開玩笑。」他以平淡的口氣敘述沉重的往事，「那是我自己的選擇。在坐牢的時候，我每天都在想，如果時間可以從來，我一定不要混黑道。出獄那天，大哥幾乎動員了整個幫派的人替我洗塵，甚至即刻兌現他的承諾。可是我拒絕了，已經浪費了太多事情在沒意義的事情上，我沒有另一個五年可以浪費。」

蔚藍點點頭。

「別人是花四年讀大學，建立自己的未來；我卻要花五年的時間在監獄裡，才學會珍惜自己的人生。有時候想起來，都覺得很好笑。」劉一勤自顧自地大笑。

「我笑不出來。」她沒辦法像他一樣輕鬆。「然後呢？你那個很有義氣的大哥就眞的放過你，沒逼你繼續爲幫派賣命？」

「我大哥不是那種人，尤其在我爲他頂罪之後，他不可能強留我。」他喝完最後一口豆漿，「他大概也知道我想脫離幫派的原因吧。畢竟，在監獄裡見識到世界上最可怕的角落後，不論是誰都會有所改變。」

她不懂爲什麼在他口中那位大哥推他出去頂罪後，他還可以像是在說一個很照顧他的老朋友般描述他。

「然後，二十三歲的我開始拚命打工。建築工人、搬家苦力……總之所有可以靠勞力去換取薪資的工作，我幾乎都做過。」看著蔚藍疑惑的表情，他解釋：「我父母因爲我去混黑道，甚至去坐牢這件事，很不諒解。我不知道怎麼做才可以讓他們原諒，只能以最實際的方式告訴他們我眞的悔改了。」

蔚藍開起玩笑：「你只是拿賺來的錢去賄賂你父母吧？他們大概是看在錢的面子上才盡釋前嫌。」

「妳好聰明喔！我爸說，如果不是因爲我有拿錢回家，他根本不會讓一個有前科的人進家門。但說是這麼說啦，他還不是默默地幫我把那筆錢存起來，不然現在我哪有資金開『洪興』？」

「我一直以爲你的黑道氣質是因爲看太多《古惑仔》電影才養成的，沒想到你眞的有這麼一段過去。」

「《古惑仔》的影響力哪有那麼大！其實電影裡演的都是唬爛的，眞正的黑道沒那麼好混。一個人得踩過幾條屍體、拚掉幾條命，才可能爬到陳浩南的地位。」

「既然如此，你還那麼喜歡《古惑仔》？」

劉一勤說：「這種道理就跟你們女生喜歡看文藝片的道理一樣，你們不也知道那種唯美愛情不可能在現實生活中出現？陳浩南是我年輕時的一個夢，夢醒了，還是會忍不住拿出來回味。

但是人還是腳踏實地活著比較重要，夢終究只是夢。」

劉一勤雖然沒念過大學，甚至可能連高中都沒畢業，可是從他嘴裡說出來的經驗是他拿生命去換的。第一次，蔚藍從看待台客以外的角度去看這個男人。

「是啊，夢終究只是夢。」她揚起一抹苦笑，「女生大概就是這樣吧，靠著電影裡的浪漫來撫慰自己在現實中得不到的甜蜜。」

別的女人是靠愛情電影來作夢，但她不是。她是靠自己的雙手建造出一份虛擬的感情，騙自己沉浸在漂渺虛無的幸福裡。

「妳……會不會介意跟我這個有前科的人來往？」他的問題打斷蔚藍的沉思。

「沒什麼好介意的。」她也是一個有前科的人，犯下一起名爲「掠奪」的罪。這樣的她究竟有什麼資格去指責一個已爲自己的錯誤付出代價的人？

「那就好。」他嘴角的笑意根本藏不住。

「對了，妳有沒有看過『蝴蝶效應』？」

「電影上映的時候很想看，但卻因爲沒時間錯過了。」

「雖然第二集拍得爛死了，但第一集眞的好看得沒話說。」計畫已在他腦海中成形，「後天妳有時間嗎？要不要來『洪興』看？」

「後天……」她歪著頭思索後說：「可能不行，我要去一趟台北。」

「是喔？妳要去台北玩？」

蔚藍低著頭，仔細想著全盤托出的後果。可是，她的心機總是無法理所當然地發揮在劉一勤身上，他的憨厚讓她的利用成了罪惡感的根源。

「我男朋友住在台北，我每隔一段時間就會去那裡看看他。」最後，她還是選擇對他誠實，不願意以一個謊言包裹著另一個謊言。

「男朋友?!」他那對濃濃的眉毛因爲蔚藍的解釋糾結在一起。

有的時候，事實是殘酷的，所以謊言才會如此誘人。

（下期刊出精采完結篇）

活著，就開心的做自己

我以前都把「感覺」關掉，一切隱忍，而現在，我要開心，快樂做自己。

竹君◎文

二〇〇七年的十二月二十一日，照往例，到台北榮總看婦科，因爲十多年來子宮裡長了很多肌肉瘤，驗血與照超音波是很平常的追蹤，我告訴醫生，我洗澡時，摸到乳房有硬塊，以前她都只是幫我觸診，這次特別安排乳房超音波。

十二月二十六日，照好超音波後，護士要我立刻掛二十七日的乳外科曾醫生門診。醫生認爲我有乳癌，要立刻在門診不打麻藥的爲我做穿刺手術。但看我一臉驚慌而作罷，叫我後天中午帶先生一起來。

十二月二十七日，爲了做確認，我到住家附近的三總看乳外科，看完榮總的超音波檢驗報告，也診斷爲乳癌。

十二月二十八日，做穿刺，很害怕，但手術時女兒握住我的手，心安不少。術後得知結果，確認是乳癌。之後我選擇在

圖片提供©Dreamstime

三總開刀，過幾天帶著管子出院、每天計算流出多少血水，一星期後要到醫院拔管子、換紗布，接著就要打化療針了。

手術後一個月，我轉診至腫瘤科趙主任，我是乳癌第三期，先前已從網路上得知我這情形，存活率不過五年，他卻鼓勵我「不要盡信書」。接著開始要進行四次小紅莓及十二次紫杉醇化療，同時要去放療科做三十二次照射。因癌細胞已出現轉移，我屬於高風險者。

聽乳癌治療小姐說過，台大有標靶新藥，一年花費一百多萬，但因健保不給付，找乳癌病患實驗，簽約做一年治療，追蹤十年。

我猶疑是否去當白老鼠，於是我向趙主任請教三總是否有用台大新藥做實驗。我想他對我的問題有些不悅，他看了一下

新藥「賀癌平」和「泰嘉錠」，很快就說：「你們要去就去，我們沒有！」順手把我的病歷往前一推。

我趕緊說：「今天第一天化療，我仍照計畫進行。」等了一個多小時，醫生卻沒有開出化療藥單。我請求護士問趙主任，仍一直沒消息。我想是趙主任誤會我想轉診到台大了。我和先生從早上七點等到中午，丈夫是急性子的人，他居然在門診外一直喊：「我太太要化療！」終於開出藥單。化療室內人很多，床鋪早已額滿，連椅子也沒空位。最後總算在走廊向志工借到椅子，坐在上面完成第一次化療，打到晚上八點才打完。

五年半來在三總治療，整個化療室已重新規劃，增加床位與化療椅，也增加打針護士。我對三總醫療團隊，滿懷感恩與欽佩。他們充滿愛心與耐心，爲了病人，常犧牲午餐時間。

當時，我的靈修日記上，居然寫滿一頁「我很害怕」，問上帝透過這次生病，要我學習什麼？給我什麼使命？

第二年、第三年我連續復發，我也清楚爲何復發，因爲家中出了許多事，我給自己的擔子太重，心理承受不住，身體也承受不了，我唯一受益的是 Her2Neu 基因蛋白轉陽性、可用標靶藥。

第四年我被宣判終身化療，二〇一二年化療中仍復發，現已五年半。二〇一三年六月底我又被驗出有不規則形狀的細胞，接下來又是穿刺、切片和開刀。腫瘤科戴明燊醫師對我一向很好，很有同理心，我說：「我很害怕。」他拍拍我肩膀：「如果是我，我也會怕。妳不用太擔心，先安排正子斷層造影，準確度百分之九十五。」

好幸運碰到良醫，不但醫病更醫心。我那天開車回家，不斷唱〈信而順服〉。

生病以來，做過十七次心理諮商，我學會了關注與照料自己的情緒：

當有強烈情緒流過時，停下來去覺察，不帶批判且全然接受、學習用文字在我的靈修日記表達我的情緒，並描述它，讓情緒自然地流動。我原是一個很會壓抑情緒的人，在職場三十年從未流過淚的我，連最摯愛的父親過逝時，也沒有哭。我開始學習想哭就暢快的哭。

諮商師說我以前都把「感覺」關掉，一切隱忍，而現在，我要開心，快樂做自己。

這次生病，我發現，「生，要學習；死，也要學習。」我得到警訊。我從身邊親人做起，學習表達我的不舒服、我的需要，讓別人知道如何對待我及尊重我。

儘管不完美，但做爲一個母親、太太及女兒，我學習肯定自己存在的價值，回顧並發掘自己「平凡生活中的精采」。

退休後，仍完成神學院的學業，雖然只是平凡的家庭主婦，縱使異國婚姻中有許多困難與挫折，那全都是上帝要我學習的功課。

上帝認爲每個人本身就蘊含了獨一無二的價值，不需要一定得是好母親、好妻子、好女兒才有價值，每個人的存在本就是價值，無論做了什麼或沒做什麼。不管未來剩下多少日子，都要用感恩的心看待每個人。

不要太專注在自己的病痛，要懂得轉移焦點，除家人外，多關懷朋友、同病相憐的癌友及周遭遇到的每個人。我悟出我的癌症是出於自己的個性，從現在起，我要讓自己每天都過得開心，快樂做自己。

韓劇裡的愛情溫度

她很喜歡韓劇，浪漫的情節讓每個女孩相信，無論經過怎樣的苦楚，最終都會找著真命天子……

何楓琪◎文

她打開電視，隨意地按著遙控器，新聞、談話性節目、偶像劇畫面一一閃過，接著，韓劇男女主角相擁的鏡頭跳進了她的眼簾。

客廳的門喀嚓一聲開啓了，放包包，換拖鞋，她知道他回來了，看了一下電視上方的時鐘，八點正，他的公司下班時間是六點，雖然下班前他已傳簡訊給她今晚要跟同事聚餐，但她的心仍像高空走索般危顫不安。

「跟同事去吃什麼？」她佯裝著認眞地看著韓劇，像不經意地問著。

「烤肉，小高升經理，請我們一票男同事吃一攤囉。」他認眞努力地詳細答著。

「哦，是喔！」她忍耐地收起原本微怒且欲上揚的語調，用力地將意識凝聚在電視刻上。

「這部韓劇不是重播過很多次了嗎？還

圖片提供©iStockphoto.com

看。」他坐下，靠向她，將她攬入懷中。

「經典嘛。」她隨口應了句。「而且女主角長得很可愛啊。」

「韓劇每次怎麼都演這種女孩又窮又不漂亮，最後男主角卻都會愛上她的戲碼呀？太老套了啦！」他玩笑似地說。

「又窮又不漂亮的女孩不代表沒人愛啊，就像漂亮的女生也不代表不會被劈腿，是吧。」她的語氣頓時變得冰冷，宛如一把利刃。

客廳裡的空氣，頓時凝結成冰。

她曾經很喜歡韓劇，浪漫的情節讓每個女孩相信，無論經過怎樣的苦楚，最終都會找著眞命天子。

她也曾這麼相信著，最讓她偷偷自豪的是，她不像韓劇裡那些沒人愛的灰姑娘，因爲從小到大她從不用煩惱「沒男朋友」，大家都誇她漂亮聰明，又在知名的外商公司工作，不管讀書還是工作，周遭總有男孩對她好，她甚至還曾經在一天內被三個男生告白過呢！

最後，她選了在聯誼時認識的他，雖然有著資訊工程師的沉默安靜不多話，但卻總是熱心地幫她修電腦、看相機，不管想聽什麼歌看什麼韓劇，只要跟他說一聲，隔天絕對就收得到他幫她燒的光碟，她知道，這個害羞的男生對她是有意思的。

一開始是送光碟，然後她請他吃飯，然後修電腦、然後看電影，然後是訂情戒、然後在ＦＢ上公開承認他們交往了……

然後，她暗示他訂情戒的款式不夠漂亮，要不要換個款式？她以爲經過這些日子的相處，他應該會明白她的想法才是。

「是哦。」他似懂非懂地答著，頓時，她滿心的想望，全化爲失望……

之後，她沒再提過戒指的事，她安慰自己，也許是他沒有聽懂自己的暗示，也可能他目前沒有成家的打算，她也不想做那種「逼婚」的舉

動，開什麼玩笑，以她的條件，她應該是被人求婚的女孩呀，怎麼可以主動先問男人要不要結婚？

然後，某一天，她發現電腦裡有一整套她沒看過的韓劇。

「幫同事下載的啊！妳要看也可以。」他的口氣很平淡，但眼神卻閃過些許的不安。

接著二套、三套、四套……她發現他下載了很多的韓劇，卻從來沒看過，更遑論和她一起看。

他開始趁她不注意時，在陽臺打簡訊講手機，他也不再陪她看電視播出的韓劇，回到家忙著進書房用電腦，而且只要她走近，他就連忙轉掉MSN的視窗，換上寫程式的軟體……

她急了，花了整整一個星期的時間，她一一比對他在FB上的交友名單，四百多個人，她一一過濾近期與他互動密切的女孩。

最後，她終於在一個女人的FB網頁上找到他，只要女人發的訊息，哪怕是某個韓星「超帥」、「好有魅力」這類訊息，都有他點「讚」的痕跡。

從網頁上的資訊，她只知道這個女人的生日、星座，女人有著圓圓的臉、圓圓的眼，一張平凡只能算清秀的臉，完全比不上自己的嬌媚可人，女人甚至比他還大上四歲，FB網頁上還有她個人的部落格，她點進去一看，是個以韓劇爲主的部落格。

她病態地比對著這個女人看過的韓劇，至少近期的幾部，都是她在他電腦裡找到的。

從那之後，她開始變得疑神疑鬼，甚至把自己的筆電搬到他的書房去，他工作寫程式，那她就看線上影片，但這卻讓他極端地煩躁不安，甚至嫌她黏人、兩個人沒有空間……

他們開始時而冷戰，時而爭吵，但最終仍算和好，他愈來愈不準時下班，她則開始做起「奪命連環叩」的舉動。

這天，他近乎半夜才到家，昨晚他因為怪她老是奪命連環叩而跟她大吵一架，一回到家，他立刻開起電腦，然後下載起韓劇……

「不要再下載韓劇了！」她開始失控地大吼，然後拔掉電源線。「你再燒韓劇給她，我們就分手！」

她第一次這麼痛恨韓劇這個東西。

他沉默了好久好久，任由她哭著吼著，也沒有否認有另一個她……

接下來的一個星期他沒有回家，她忍著沒撥電話給他。

第二個星期，她覺得自己必須做點什麼，於是她點開FB，寫了一封信給那個女人，她的用詞理性而懇切，盡量釋出自己的誠意與立場，她告訴那個女人，自己只是想解決問題，然後了解是怎麼一回事，因此希望能與她長談。

女人並沒有立刻回信給她，兩日過去，她以為她大概選擇避不見面，但沒想到女人最後竟然答應了。

那天，她刻意地沒有化妝，讓心力交瘁的痕跡明白地寫在臉上，她想，那些韓劇的女孩為什麼得到同情？因為她們夠可憐，而事實上她也的確是被劈腿的無辜者，假使她是個弱者，那麼就算那個女人不退讓，她也值得被同情。

她們有禮地見了面，她誠實地告訴那個女人，自己近來實在疲累了……

「那就離開他啊！他不是什麼好人。」女人心直口快地說。

聽完，她感覺心中有把火在燒，這個小三會不會太「吃人夠夠」？她怎麼可以如此直接坦率，一副事不關己的模樣？

「妳真的愛他嗎？」就算愛，有她這麼愛嗎？她是打算跟他結婚的，難道她也想嗎？也要嗎？

「愛啊。我知道他不是什麼好人，但我想我愛，可妳放心，我會離開他的。」女人雲淡風輕

地說著，語氣裡對她亦沒有任何敵意。

她該相信那個女人說的話嗎？

女人笑了笑。「我大他那麼多歲，爸媽還欠了錢，前男友騙走了我的積蓄，我又是自由工作者，有一餐沒一餐的，經濟跟現實的擔子太重了，他不會有勇氣扛的。」女人溫婉而懇切地說。

「我不像妳，即使不化妝還是年輕漂亮，家裡也沒負擔，想愛誰就愛誰，甚至還有立場罵我，所以妳眞的很好，是他不懂珍惜。」女人繼續說著。

「聽說……妳很喜歡看韓劇？」

「嗯，因爲現實生活實在太難熬了啊，我只是……想在自己還可以的時候，留一點『愛情的溫度』而已。」她緩緩地說。

「但……你們傷害了我！」難道爲了所謂的「溫度」，她就該被背叛嗎？介入她感情的小三，難道就該沒事嗎？這世界到底還有沒有天理？

「我當了三十多年的乖女孩，結果不是被背叛就是忍受寂寞，直到我傷害了妳……哎，我也不會講，反正我不會有好下場，妳可以盡量恨我……」女人感慨地說。

她的雙拳緊緊地握著。

「這世界很殘酷吧，跟韓劇都不一樣……」女人看著她，當然也讀得出她的憤怒。「他會回到妳身邊的，等著瞧吧！」她自信地說。

果然，沒有多久，他主動打電話給她了，哄她、求她……一切又如昔了。

他沒有再下載韓劇，她也不再看韓劇。

「看港劇吧，韓劇一點愛情的溫度都沒有。」他的聲音遠得像在天邊，接過遙控器，他轉到鄰臺去。

她覺得好冷，但卻澀然地笑了……

沒良心

我們是「心靈超商」，
但我必須嚴正聲明，
所有產品全是未經檢驗合格，
因此，不保證沒有任何副作用，
請小心使用……

平意◎文

圖片提供 ©istockphoto

「叮咚！」

「歡迎光臨！」

面對進門的顧客，我臉上堆起恰如其分的微笑，但這人一進來，我就開始擔心了。

凌晨二點，犯罪率最高的時間，這是身爲二十四小時營業的超商大夜班，必須體認的職業風險。我們不是連鎖加盟店，只是社區的便利超商，原先並不是二十四小時營業，我問過店長，爲什麼要變成二十四小時？

「房東漲房租，不拉長營業時間多賺點，難道叫我倒貼哦？」

發薪水的人說的話，總是對的，看在時薪雙倍的分上，加上就學貸款又貼背相隨，我只好乖乖認了。只希望這個凌晨的客人，選好自己的東西後，快速離去。只不過，眼前的客人，我愈看愈不安，因爲，這個人，我認識。

你鬆了口氣嗎？你以爲熟客安全？大錯特錯。根據調查，百分之七、八十的案件，都發生在熟人之間。因爲熟，容易放鬆警戒。他住在這個社區，剛畢業，正在找工作，常進來買買飲料、零食、便當之類，但他今天與平常買東西的習慣不同。

他先在第一排的糖果架翻來翻去，拿起巧克力看一看，又放下，但他向來不買巧克力，又轉拿一款以超醒腦著稱的口香糖，他平時也會吃，但昨天才剛買一盒，隔天再買機率不高，果然，他又放回架上。接著他轉到放油鹽糖醋的地方，拿起一瓶香油，又放回去，基本上，他從沒幫家裡買過這種廚房調味品，晃到那裡一點意義都沒有。當然，我也遇過純粹「逛超商」的人，但來逛的人，卻不會一直瞄向櫃檯結帳區，而他，幾乎每十秒就瞄一次，意不在購物的味道眞的太明顯了。

更糟的是，此刻超商裡，沒有半個人，連以往會在騎樓木椅上睡覺的遊民，今天不知怎麼回事，竟一個也沒有，難道，今天是注定的嗎？

最後，他雙手空空的走過來，而我的手，警戒的移向警鈴。算店長有良心，安裝保全連線，只要一按，十分鐘內就會有保全前來處理，只不過，十分鐘，我撐得住嗎……

「我……」

「是，請問要買什麼嗎？」

他一開口，我腦袋就一片空白，但職業性的笑容和訓練有素的應對，還是在第一時間做出回應。

「我……我想買那個……」

超商內明明只有我和他，但他還是緊張的回頭看了看四周。我的背，硬生生被逼出一片冷汗。

「不好意思，請再說一次。」我一時沒聽懂他的需求，臉上掛著標準微笑，手心，貼上警鈴冰冷的塑膠殼。

「就是你們沒錯吧！」他似乎下定決心，射向我的眼神，多了點指控。

「呃？什麼？」我張大雙眼，腦袋更混亂。

「網路上傳來傳去的那間超商，就是你們，對不對！」

雖然他提的是問句，卻一點也沒有疑問的意思。

「哈哈。」

我乾笑兩聲，原來如此，搞清他的目標，原來是買「那個」的顧客，手部的警戒鬆開來，腦袋換上另一種謹慎。

「你想買那個？」

「沒錯。」

「嗯——若眞有困難，我鼓勵你找親友協助……」可能是熟客，常見他來買東西，所以忍不住出聲提醒。

「不，我就是要買，這樣才能一勞永逸的解決問題。」

「解決問題有很多種方式，不一定要那個。」

「事到如今，只有那個才能解決我的煩

惱。」

唉──又一個逃避現實的青年。

「這種東西，很容易上癮，況且，副作用……」

「我管不了那麼多，我必須要狠下心才行。」

「狠下心？」

「我想和我女朋友分手，但是我想分卻分不了。」

我點點頭，他口中的女朋友，我也算認識，常見到兩人一起來店裡，對他是死心塌地，任他差遣，常來幫他打掃家裡，煮飯洗衣之類，這麼好的女朋友，他究竟在嫌什麼？依照店長指示，我不應該去過問客戶買那個的理由。

「當成純交易，不帶私人感情，這行才會做久。」

店長的警語，出現在耳旁，但，就只是耳旁而已，所以，我忍不住想勸一勸。

「我瞧你女朋友，對你很好啊。」

「就是因爲她很好，我想分，也捨不得分。」他露出尷尬的笑容。

事實上，若不是看在他女友對他一往情深，我早想勸她快快分手，現在他想分手，我反倒很訝異，難不成，這小子突然轉性，不想當吃軟飯的了。

「既然捨不得，就別分了。」假如他開始奮發圖強，那我倒是會刮目相看，他女友的付出，總算有收穫。

「那可不行，」他慌張的猛搖手，「非分不可，我交到一個富二代的女朋友，爲了避免她誤會，我一定要和現在的女朋友徹底分手。」

我心裡嘆了口氣，原來是找到有錢的金主了。

「好吧，那你想買哪一款心？」話題繞回來，我看我就乖乖的賣產品吧。

「我想買沒良心。」

「如你所願，」我從抽屜裡拿出一個不起眼的牛皮紙盒，「請小心使用，我們不負責……」

「放心，我知道規矩。」他匆匆忙忙的把錢放在櫃檯上，搶過我手上的紙盒，瞬間消失在門口。

唉~我緩緩搖了頭。

大家晚安，歡迎收看這一節的晚間新聞，我是小宇，今天是七夕情人節，有個狠心的男人甩開女友，卻自食惡果。根據鄰居的說法，原來是男方交到一位富家千金，立刻斷絕和前女友的關係，不料卻發現原來富家千金就是女朋友。他的女朋友一直素顏和他交往，隱瞞富家千金的身分，後來以富家千金身分測試男友心意時，因爲有精心化妝打扮，因此男朋友並沒有察覺，而他嫌貧愛富的現實行爲，讓這個女生看清他的眞面目，反過來選擇和他分手。現在男方跪在女方門前一整天，卻喚不回女友的心，這位富家千金的做法眞的大快人心，我們祝福這個小姐，能早日找到屬於自己的另一伴。接下來的新聞，是關於最新科技……

我關掉電視螢幕，準備去上班。

當初男生買「沒良心」，好讓自己狠下心，去提分手，同時泯滅良知，不帶任何虧欠的去追求富家千金。但他沒想到的是，他女朋友其實也想和他分手，但她是個善良的人，明知自己在養小白臉，就是狠不下心拒絕他。

早在男生來買的前幾天，我賣了個「超激版沒良心」給她，這是進化型，會把情況變成是對方理虧在先，讓你可以心安理得分手，把分手的錯，全栽在對方身上，這種沒良心式的分手，其實更高招。

什麼？你問我們是什麼超商？我們是一般的便利超商，只不過，若遇到對的人，我們就是「心靈超商」……販售各式各樣的心靈。

但我必須嚴正聲明，所有產品全是未經檢驗合格。因此，不保證沒有任何副作用，請小心使用，同時嚴格控制劑量。

若有心靈過敏現象，務必請找醫師診治。再次，謝謝您的光臨。

皇冠 CROWN

創刊於1954年2月

發行人－ 平鑫濤
編輯部－ 主編／莊瓊花
執行主編／林禎慧　編輯／平靜
財務部－ 經理／林淑惠　訂單處理／劉丁綺
物流中心－ 主任／廖秋香
組長／郭益明・林次勇
印務部－ 組長／林佳燕　組員／趙松筠
行銷企劃部－ 主任／李邠如　專員／馬佳琪・許家怡・楊淩瑜
業務部－ 主任／羅小惠　組員／陳榮輝・陳雨華
讀者服務部－ 主任／張美真　組長／李佳慧
製版印刷－ 中茂分色製版印刷事業股份有限公司
235中和市立德街26巷17弄5號 電話◎(02)2225-2627
出版發行－ 鑫濤出版事業有限公司
Hsin Tao Publishing Co., Ltd.
總社地址－ 中華民國台灣10547台北市敦化北路120巷50號
No. 50, Lane 120, Dunhua North Road, Taipei 10547, TAIWAN
電話◎(02)2716-8888　傳真◎(02)2715-0507
編輯部地址－ 中華民國台灣10690台北市忠孝東路4段181巷35弄16號之1
電話◎(02)8771-9522～4 傳真◎(02)8771-9422
香港分社－ 香港上環文咸東街50號 寶恒商業中心23樓2301-3室
電話◎2529-1778　傳真◎2527-0904
總經銷－ 創新書報股份有限公司231新北市新店區寶橋路235巷6弄5號7樓
電話(02)2913-3656 傳真(02) 2911-0103
長期訂閱洽詢電話－ (02)2716-8888轉303、114訂戶組

The Crown Magazine is published monthly by Hsin Tao Publishing Co., Ltd.
Second class postage paid of Flushing. N.Y. Postmaster and at Monterey Park, CA
The Crown Magazine U.S. Distributor : 141-07 20th Ave. Whitestone, N.Y. 11357
Chinese Daily News Book Dept., 1230, Monterey Pass Road, Monterey Park, CA 91754.
Printed in Taiwan
◎中華郵政基隆字第043號執照登記為雜誌交寄

◎歡迎各方來稿，作品文責由作者自負

定價◎新台幣170元／港幣40元

- 皇冠讀樂網：www.crown.com.tw
- 皇冠雜誌e-mail:magazine@crown.com.tw
- 訂閱電子報：epaper.crown.com.tw/index.asp
- 皇冠雜誌Facebook：www.facebook.com/magazinecrown

訂閱期限：＿＿＿＿年＿＿＿＿月起　金額合計：＿＿＿＿＿＿＿＿＿＿元

信用卡別：□VISA □MASTER □聯合信用　發卡銀行：＿＿＿＿＿＿＿＿

信用卡號：＿＿＿＿＿＿＿＿＿＿＿＿＿＿＿＿＿＿＿＿＿＿＿＿

信用卡有效期限：＿＿＿＿月＿＿＿＿年

付款金額：新台幣＿＿＿＿＿＿＿＿＿＿＿＿元整（請以中文大寫）

持卡人簽名：＿＿＿＿＿＿＿＿＿＿＿＿（須與信用卡上簽名樣式相同）

收件人姓名：＿＿＿＿＿＿＿＿□男　□女　生日：＿＿＿＿年＿＿＿＿月＿＿＿＿日

收件人地址：

□□□□□

＿＿＿＿＿＿＿＿＿＿＿＿＿＿＿＿＿＿＿＿＿＿＿＿

E-mail：

＿＿＿＿＿＿＿＿＿＿＿＿＿＿＿＿＿＿＿＿＿＿＿＿

聯絡電話：（日）＿＿＿＿＿＿＿＿（夜）＿＿＿＿＿＿＿＿（手機）＿＿＿＿＿＿＿＿

親友收件人姓名：＿＿＿＿＿＿＿＿□男　□女　生日：＿＿＿＿年＿＿＿＿月＿＿＿＿日

親友收件人地址：

□□□□□

＿＿＿＿＿＿＿＿＿＿＿＿＿＿＿＿＿＿＿＿＿＿＿＿

E-mail：

＿＿＿＿＿＿＿＿＿＿＿＿＿＿＿＿＿＿＿＿＿＿＿＿

聯絡電話：（日）＿＿＿＿＿＿＿＿（夜）＿＿＿＿＿＿＿＿（手機）＿＿＿＿＿＿＿＿

發　　票：□二聯；□三聯／統一編號：

◎請傳真本單至：02-27150507或寄至：10547台北市敦化北路120巷50號．讀者服務部收
◎本公司保留接受訂單與否的權利；限國內訂戶有效
◎以上方案優惠有效期至2013年12月31日止
◎洽詢專線：02-27168888轉114、303
◎郵撥帳號：1861730-3鑫濤出版事業有限公司

【個人資料蒐集、利用及處理同意條款】
您所填寫的個人資料，依個人資料保護法之規定，皇冠文化集團將對您的個人資料予以保密，並採取必要之安全措施以免資料外洩。您對於您的個人資料可隨時查詢、補充、更正，並得要求將您的個人資料刪除或停止使用。
本人同意皇冠文化集團得使用以下本人之個人資料建立該集團旗下各事業單位之讀者資料庫，做為寄送出版或活動相關資訊、相關廣告，以及與本人連繫之用。本人並同意皇冠文化集團可依據本人之個人資料做成讀者統計資料，在不涉及揭露本人之個人資料下，皇冠文化集團可就該統計資料進行合法地使用以及公布。
□同意　□不同意

我是：□新訂戶　□續訂戶／電腦編號：

□信用卡付款　發卡銀行：

信用卡別：□ VISA　□ MASTER　信用卡有效期限：　月　年

信用卡號：

信付款金額：新台幣　元整（請以中文大寫）

持卡人簽名：　（須與信用卡上簽名樣式相同）

□美金支票付款（支票抬頭請開：Hsin Tao Publishing Co., Ltd.）

支票金額：US$　元整

國內代訂人姓名：　□男　□女

電話：（日）　（夜）　（手機）

聯絡地址：

□□□□□

發　票：□二聯；□三聯／統一編號：

收件人中文姓名：　生日：　年　月　日

收件人英文姓名：　□ Mr. □ Mrs. □ Miss □ Ms.

收件人地址：

E-mail：

聯絡電話：（日）　（夜）

贈送親友中文姓名：　□男　□女　生日：　年　月　日

贈送親友英文姓名：　□ Mr. □ Mrs. □ Miss □ Ms.

贈送親友英文地址：

E-mail：

聯絡電話：（日）　（夜）

【海外讀者優惠方案訂閱單】 CM10212

訂1年12期，送親友半年6期；訂2年24期，送親友1年12期

◎信用卡訂閱（無論國內親友代訂或國外直接訂閱，一律以新台幣計價）：

	香港、澳門、大陸地區	星、馬、日、韓等亞洲地區	歐、美、非地區	掛號費用
海運一年（加贈親友半年）	□2,000元	□2,300元	□2,300元	□ 780元
海運二年（加贈親友一年）	□3,900元	□4,500元	□4,500元	□1,560元
空運一年（加贈親友半年）	□3,000元	□3,300元	□3,600元	□ 780元
空運二年（加贈親友一年）	□5,900元	□6,500元	□7,100元	□1,560元

◎以美金支票訂閱（以美金計價）：

	香港、澳門、大陸地區	星、馬、日、韓等亞洲地區	歐、美、非地區	掛號費用
海運一年（加贈親友半年）	□ 70元	□ 80元	□ 80元	□26元
海運二年（加贈親友一年）	□130元	□150元	□150元	□52元
空運一年（加贈親友半年）	□100元	□110元	□120元	□26元
空運二年（加贈親友一年）	□190元	□210元	□230元	□52元

◎美國、夏威夷、關島、德國停辦收寄海運掛號函件
◎中南美洲、英國及紐西蘭、葡萄牙、西班牙、德國及瑞士，只接受空運

以上金額合計：□新台幣 □美金 ＿＿＿＿＿ 元 訂閱期限：＿＿＿＿ 年 ＿＿＿＿ 月

◎信用卡訂閱請傳真本單至：886-2-27150507
◎美金支票請寄至：No. 50, Lane 120, Dunhua North Road, Taipei 10547, TAIWAN, R.O.C.
Crown Magazine／Ms. Mei-Cheng Chang收
◎本訂購辦法只適用海外訂戶。本公司保留接受訂單與否的權利。有效期至2013年12月31日截止。
◎洽詢電話：886-2-27168888轉114張美真小姐

編·者·的·話

執著的力量

這期《皇冠》，有許多讓人印象深刻的「執著」。

譬如姚謙筆下的時裝設計師葉謙，在這個競爭激烈的現代環境裡，他依然默默的在生活中尋找靈感、在閱讀中尋找謬思，堅持保有自己的想像，創作出與眾不同的作品。

譬如畫家梁君午，喜歡在畫布上「留白」，執著的以樸「素」之線「描」繪出無限的「可能」，那些唯美的女體，在朦朧的光影映射下，讓我們進入一個無限的想像空間。

〈親吻獅子的男人〉是另一個爲夢想執著的動人故事，堤利這個十六歲的法國美少年，瘋狂的迷戀獅子、老虎，在心中種下了馴獸師的夢想，他不但找到了與動物溝通的語言，此後數十年，也一直與猛獸爲伍，甚至教會《少年pi的奇幻漂流》中的老虎演戲！

年輕新銳作家曾程，在本期長篇小說〈別去打擾他的心〉中，娓娓道來一個爲愛癡狂的故事，爲什麼如此執著呢？無非是愛情總是讓人放不下，非得用盡心力去爭取才肯善罷甘休。

你有過什麼執著嗎？這世界上有很多的讓人意想不到的美好成就，都是從最初一顆小小的執著種子開始的，請好好珍視它。

《皇冠》雜誌主編

莊瓊花